CW01024659

Lightning Source UK Ltd.
Milton Keynes UK
UKHW020805220621
385945UK00006B/63

9 781878 775207

מאָטל פּייסע דעם חזנס

שלום־עליכם

פֿאַרקירצט און באַאַרבעט פֿאַר סטודענטן
מיט געניטונגען, גלאָסאַר און קלאַנג־רעקאָרדירונג*

שבֿע צוקער, רעדאַקטאָר
חנה גאַוועונדאַ, געהילף־רעדאַקטאָר

אליעזר ניבאָרסקי, קאָרעקטאָר און שפּראַך־בעל־יועץ
לעאָניד רחמן, זעצער און גראַפֿיקער

יאַנקל סאַלאַנט, הילע־דיזײַן

ייִדיש־ליגע, ניו־יאָרק
שלום־עליכם־שול, מעלבורן
2017/תשע״ז

---

*אויב די קלאַנג־רעקאָרדירונג געפֿינט זיך נישט אין דעם ביכל
קענט איר דאָס באַשטעלן דירעקט פֿון דער ייִדיש־ליגע:

info@leagueforyiddish.org

MOTL PEYSE DEM KHAZNS

Sholem Aleichem

Abridged and Adapted for Students
with Exercises, Glossary and Audio Recording*

Sheva Zucker, Editor
Anne Gawenda, Assistant Editor

Eliezer Niborski, Proofreader and Linguistic Consultant
Leonid Rahman, Typesetter and Graphic Designer

Yankl Salant, Cover Design

---

*If the audio recording is not included with this book you may order it directly from the League for Yiddish: info@leagueforyiddish.org

ISBN: 978-1-878775-20-7

League for Yiddish
64 Fulton St., Suite 1101
New York, NY 10038
www.leagueforyiddish.org

Sholem Aleichem College
11 Sinclair St.
Elsternwick VIC 3185, Australia
www.sholem.vic.edu.au

Printing: Ingram's Lightning Source, USA

ACKNOWLEDGMENTS — אַ דאַנק

מיר ווילן באַדאַנקען די פֿונדאַציעס וואָס האָבן ברייטהאַרציק געשטיצט דעם *מאַטל פּייסע דעם חזנס*־פּראָיעקט:

- די אַהרון און סאָניע פֿישמאַן־פֿונדאַציע פֿאַר ייִדישער קולטור
- די נעמי־פֿונדאַציע
- די פֿונדאַציע פֿאַר ייִדישער שפּראַכקולטור א"נ בנימין שעכטער
- סי־עם־אי־גרופּע־פֿונדאַציע

מיר ווילן באַדאַנקען די יחידים וואָס האָבן געהאָלפֿן בײַם צוגרייטן דאָס ביכל:

- **לעאָניד רחמן**, זעצער און גראַפֿיקער, פֿאַר זײַן שווערער פּראַצע בײַם מאַכן אונדזער *מאָטל* גרינג צום לייענען און גראַפֿיש שיין
- **אליעזר ניבאָרסקי**, קאָרעקטאָר און שפּראַך־בעל־יועץ, פֿאַר זײַן געניט אויג און זײַן ייִדיש־קענטשאַפֿט וואָס האָט נישט קיין גלײַכן
- **יאַנקל סאַלאַנט**, פֿאַר זײַן וווּנדערלעכן הילע־דיזײַן און זײַנע ביז גאָר באַהילפֿיקע עצות לגבי עסטעטישע ענינים
- **גיטל שעכטער־ווישוואַנאַט**, פֿאַר אירע אויסגעצייכנטע רעדאַקציאָנעלע עצות
- **אונדזערע תּלמידים, פֿון נעכטן, הײַנט און מאָרגן**, וואָס זײַנען די אינספּיראַציע פֿאַר דעם פּראָיעקט

We would like to thank the following foundations whose generous contributions helped this project come to fruition:

- **The Aaron and Sonia Fishman Foundation for Yiddish Culture**
- **The Naomi Foundation**
- **The Benyumen Shekhter Foundation for the Advancement of Standard Yiddish**
- **CME Group Foundation**

We would also like to thank the following people who helped in the preparation of this book:

- **Leonid Rahman**, typesetter and graphic designer, for his painstaking work in making this book user-friendly and beautiful
- **Eliezer Niborski**, proofreader and linguistic consultant, for his good eye and peerless knowledge of Yiddish
- **Yankl Salant**, for his wonderful cover design and indispensable advice on all things aesthetic
- **Gitl Schaechter-Viswanath**, for her many excellent editorial suggestions
- **Our students, past, present and future**, who are the inspiration for this project

שלום-עליכם

תּוכן

הקדמה

די קירצונג פֿון שלום־עליכמס *מאָטל פּייסע דעם חזנס* האָט זיך אָנגעהויבן ווי אַ בשותּפֿותדיקער פּראָיעקט צווישן דער ייִדיש־ליגע אין ניו־יאָרק און דער שלום־עליכם־שול, אַ ייִדישע טאָגשול אין מעלבורן, אויסטראַליע, אויף צו באַניצן אין די העכערע קלאַסן בײַ זיי (ד״ה, אין 5טן און 6טן קלאַס). עס איז באַלד קלאָר געוואָרן, אַז סטודענטן איבער דער גאָרער וועלט אין פֿאַרשיידענע קאָנטעקסטן וואָלטן אויך געקענט געניסן פֿון דעם לייענביכל. דאָס נעמט אַרײַן תּלמידים, סײַ אין שולן סײַ אין אוניווערסיטעטישע קורסן, ווי אויך אומפֿאָרמעלע קלאַסן, לייענקרײַזן, און אַליין־לערנערס. דער חן פֿון *מאָטל* ליגט טאַקע דערין וואָס דער צוצי פֿון זײַן הויפּטהעלד איז אייביק; דאָס ווערק איז באַליבט, סײַ בײַ יונגע סײַ בײַ עלטערע לײַט.

די וואָס קענען שלום־עליכמס קלאַסיש קינדערווערק אין דעם ייִדישן אָריגינאַל קערן וויסן אַז סע עקסיסטירט שוין אַ שול־אויסגאַבע, רעדאַקטירט פֿון י. זילבערבערג, וואָס איז אַרויס אין ניו־יאָרק בײַם פֿאַרלאַג מתּנות אין 1946. מע האָט אונדז טאַקע ניט איין מאָל געפֿרעגט, „פֿאַר וואָס גרייט איר צו אַ סטודענטישן נוסח ווען ס׳איז שוין דאָ אַזאַ איינער?״ דער אמת איז, אַז מער ווי זיבעציק יאָר זײַנען שוין פֿאַרלאָפֿן זינט יענער באַנד איז אַרויס אין 1946 און הײַנטיקע ייִדיש־סטודענטן זײַנען זייער אַנדערש פֿון די אין זילבערבערגס צײַטן. זייער וויניק זענען אויפֿגעוואַקסן אין ייִדיש־רעדנדיקע היימען און וויניק האָבן די געלעגנהייט צו הערן די שפּראַך מחוץ דעם קלאַסצימער. דערפֿאַר איז אין אַזאַ ביכל אַ סך גרעסער דאָס באַדערפֿעניש, אי צו מאַכן פּשוטער אי צו געבן צו פֿאַרשטיין די שפּראַך.

זילבערבערגס אויסגאַבע איז פֿאַקטיש געווען זייער ענלעך צו שלום־עליכמס אָריגינאַל; דאָ און דאָרט האָט ער אַרויסגעלאָזט אָדער געביטן אַ וואָרט אָדער פֿראַזע, בדרך־כּלל פֿון לשון־קודש, און האָט עס פֿאַרביטן אַזוי, אַז דער ענגליש־

רעדנדיקער לייענער זאָל גיכער פֿאַרשטיין. חוץ אויפֿן שער־בלאַט האָט זיך אין ביכל קיין איין־איינציק בילד נישט געפֿונען. זילבערבערגס נוסח האָט כּולל געווען דעם גאַנצן ערשטן באַנד און אַ גרויסן טייל פֿון דעם צווייטן באַנד *מאָטל פּייסע דעם חזנס*, און צום סוף פֿון יעדן קאַפּיטל האָט ער אָנגעגעבן אַ באַשיידענעם גלאָסאַר.

די נײַע אויסגאַבע (באַזירט אויף דער אויסגאַבע אַרויסגעגעבן פֿון דעם מאַגנעס־פֿאַרלאַג בײַם העברעיִשן אוניווערסיטעט אין ירושלים, 2003), באַשטייט פֿון אַכט קאַפּיטלעך, אײַנגעטיילט אויף קלענערע קאַפּיטעלעך, גאַנץ אָפֿט אין עפּעס אַ געקירצטער און פֿאַרגרינגערטער פֿאָרעם. עס הייבט זיך אָן דאָרט ווו דער ראָמאַן הייבט זיך אָן, לאָזט אַרויס דרײַ קאַפּיטלעך, און דעקט די טיילן פֿון דעם גרעסערן ווערק וואָס גיבן זיך אָפּ מיט די געשעענישן פֿון מאָטלס לעבן אין שלום־עליכמס מיטיש שטעטל כּתרילעווקע, ביז ער מיט זײַן משפּחה פֿאָרן אַרויס קיין אַמעריקע.

דער גלאָסאַר אין דעם באַנד איז אַ סך גרעסער כּדי אַקעגנצוקומען די באַדערפֿענישן פֿון דעם ייִדיש־לערנער אין דעם 21סטן יאָרהונדערט. יעדעס קאַפּיטעלע האָט אַ גלאָסאַר צום סוף, און אַ כּוללדיקער גלאָסאַר קומט צום סוף פֿון דעם גאַנצן טעקסט. דערצו האָבן מיר צוגעגרייט גענײטונגען צו יעדן קאַפּיטעלע. כאָטש זיי זײַנען צום רובֿ געצילעוועט אויף פֿאַרשטיין דאָס געלייענטע זײַנען זיי געשאַפֿן געוואָרן צו העלפֿן דעם תּלמיד זיך אויסלערנען דעם וואָקאַבולאַר און די גראַמאַטישע מישקלים וואָס געפֿינען זיך אין דעם קאַפּיטעלע.

אין אַ סך פֿאַלן האָבן מיר געקירצט דעם טעקסט, און דערבײַ אַרויסגענומען אַ פֿראַזע, אַ שורה אָדער אַפֿילו אַ גאַנצן פּאַראַגראַף וואָס מיר האָבן געהאַלטן פֿאַר ניט אין גאַנצן נייטיק צו אַנטוויקלען דעם סיפּור־המעשׂה. מיר האָבן אויך פֿאַרגרינגערט דאָס לשון. אַ מאָל האָט דאָס געהייסן אַז מע האָט געביטן דעם סינטאַקס אָדער געקירצט אַ זאַץ אויף אַ פֿאָרעם וואָס מיר האַלטן אַז דער סטודענט וועט גרינגער פֿאַרשטיין. למשל:

קאַפּיטל איינס, אַלף: „גאַנצע נעכט הוסט ער" האָט מען געביטן אויף „ער הוסט גאַנצע נעכט".

קאַפּיטל איינס, גימל: „נחמן דער סטאָליער איז געקומען מיט זײַנע צוויי בנים, אויך סטאָליאַרעס, און מע האָט געגעבן אַ נעם אונדזער גלעזערנע שאַפֿע, טאַקע נאָר ווי דער רוח דעם מלמד" איז געביטן געוואָרן אויף „נחמן דער סטאָליער

איז געקומען מיט זײַנע צוויי בנים, אויך סטאָליאַרעס, צו נעמען אונדזער גלעזערנע שאַפֿע".

קאַפּיטל צוויי, אַלף: „פֿון זינט איך בין צו מײַן שׂכל געקומען, געדענק איך נישט איך זאָל זײַן אַזאַ מיוחס ווי אַצינד" איז געביטן געוואָרן אויף „איך געדענק נישט ווען איך בין געווען אַזאַ מיוחס ווי איצט".

אין אַנדערע שטעלן האָבן מיר געביטן ווערטער און פֿראַזעס. עטלעכע דוגמאָות:

קאַפּיטל 4, בית: מיר האָבן געביטן „צו ליקערן און זיסע בראָנפֿנס דאַרף מען האָבן ראָטשילדס פֿאַרמעגן" אויף „צו ליקערן דאַרף מען האָבן אַ סך געלט".

קאַפּיטל 6, גימל: אין דעם אָריגינעלן טעקסט, ווען אליה באַשליסט אויסצוגיסן אין טײַך אַרײַן די גאַנצע טינט וואָס זיי האָבן געמאַכט מיט דער האָפֿענונג דערפֿון זיך מפֿרנס צו זײַן, זאָגט מאָטל, „סײַ ווי סײַ גיסט מען אין טײַך אַרײַן כּל הפּאַסקודסטווע". אין איצטיקן נוסח שטייט פּשוט, „דאָרט גיסט מען סײַ ווי אַרײַן אַלצדינג".

צי איז עפּעס פֿאַרלוירן געגאַנגען? זיכער, נאָר מיר האָבן באַשלאָסן נישט אַרײַנצוברענגען צו פֿיל נײַע ווערטער, אויסדרוקן און גראַמאַטישע קאָנסטרוקציעס אין יעדן קאַפּיטעלע כּדי נישט איבערצושרעקן דעם לייענער. בעסער צו לייענען אַ גרינגערן *מאָטל* איידער צו זײַן אַזוי אויסגעמוטשעט פֿון דער אָנשטרענגונג אַז מע גיט זיך אין גאַנצן אונטער.

מיר האָפֿן, אַז נאָכן לייענען דעם נוסח וועלן אַ סך קלאַסן און יחידים זײַן בעסער צוגעגרייט און מאָטיווירט צו פּרוּוון לייענען דאָס גאַנצע ווערק מדעסקע־לדעסקע אינעם אָריגינאַל.

שבע צוקער,	*חנה גאַווענדאַ,*
רעדאַקטאָר	געהילף־רעדאַקטאָר
ייִדיש־ליגע	שלום־עליכם־שול

INTRODUCTION

This abridgment of Sholem Aleichem's *Motl Peyse dem khazns* began as a joint project between the League for Yiddish in New York City and the Sholem Aleichem College, a Yiddish day school in Melbourne, Australia, intended for use in its upper grades (grades 5 and 6). It soon became apparent that students the world over, in a variety of settings, could benefit from this reader. These include students in school and college courses, informal classes, reading circles and self-learners. Indeed, it is part of the charm of *Motl* that the appeal of its main character is ageless and that the work continues to delight both young and old alike.

People familiar with Sholem Aleichem's children's classic in its original Yiddish will know that there already is a *shul-oysgabe* (edition for schools) edited by I. Silberberg and published in New York by *Farlag Matones*, 1946. We have, in fact, been asked, "Why prepare a version for students when one already exists?" The truth is that over seventy years have elapsed since the publication of that volume in 1946 and the Yiddish students of today differ greatly from those in Silberberg's day. In those days many came from Yiddish-speaking homes. Today, few have the opportunity to hear the language other than in the classroom. This makes the need both to simplify and to explain the language much greater.

Silberberg's edition was actually very similar to Sholem Aleichem's original. He omitted or changed the occasional word or phrase, generally of traditional Hebrew or Hebrew-Aramaic origin, and replaced it with one that he felt might be more easily understood by the English-speaking reader. Except for the title page, the volume was devoid of pictures. Silberberg's version consisted of the complete first and much of the second volume of *Motl Peyse dem khazns*, followed by a modest glossary in each chapter.

This new edition is based on the edition published by Hebrew University Magnes Press, Jerusalem, 2003. It consists of eight chapters, divided into smaller subchapters, many in slightly abridged and simplified form. It starts where the novel begins, omits three chapters, and covers that part of the larger work that chronicles the events of Motl's life in Sholem Aleichem's mythic *shtetl* of Kasrilevke until he and his family leave for America.

The glossary in this edition is much more extensive, in order to meet the needs of the Yiddish student in the 21st century. Each subchapter has a glossary, and a cumulative glossary follows the text at the end of the reader. In addition, we have included exercises in each subchapter. Although these are mostly comprehension-oriented, they have been designed to help students learn vocabulary and grammatical patterns found in the chapter.

In many cases, we have shortened the text, removing a phrase, a line or entire paragraphs which we believed were not absolutely essential to developing the story. We have also simplified the language. Sometimes this meant changing the syntax, or shortening the sentence, to a form that we felt would be more easily understood by the student. For example:

Chapter 1, *Aleph:* ער הוסט גאַנצע נעכט was changed to ער הוסט גאַנצע נעכט.

Chapter 1, *Giml:* נחמן דער סטאָליער איז געקומען מיט זײַנע צוויי בנים,

אויף סטאָליאַרעס, און מע האָט געגעבן אַ נעם אונדזער גלעזערנע שאַפּע, טאַקע נחמן דער סטאָליער איז געקומען was changed to נאָר ווי דער רוח דעם מלמד מיט זײַנע צוויי בנים, אויף סטאָליאַרעס, צו נעמען אונדזער גלעזערנע שאַפּע.

Chapter 2, *Alef:* פֿון זינט איך בין צו מײַן שׂכל געקומען, געדענק איך ניט, איך זאָל זײַן אַזאַ מיוחס ווי אַצינד was changed to איך געדענק נישט ווען איך בין געווען אַזאַ מיוחס ווי איצט.

In other places we have changed words and phrases. A few examples:

Chapter 4, *Beys:* We changed צו ליקערן און זיסע בראָנפֿנס דאַרף מען האָבן אַ סך געלט to צו ליקערן דאַרף מען האָבן ראָטשילדס פֿאַרמעגן.

Chapter 6, *Giml:* In the original text, when deliberating on where to throw out all the ink they have made as part of their get-rich-quick scheme, Motl says סײַ ווי סײַ גיסט מען אין טײַך אַרײַן כּל הפּאַסקודסטווע. The current version simply says דאָרט גיסט מען סײַ ווי אַרײַן אַלצדינג.

Has something been lost? Undoubtedly, but we decided not to overwhelm the reader by introducing too many new words, expressions and constructions in each section. Better to read a simplified *Motl Peyse* than to be so exhausted by the effort that one gives up entirely. Ideally, after reading this version many classes and individual readers will be better prepared and motivated to attempt reading the original work in its entirety.

Sheva Zucker,
Editor
League for Yiddish

Anne Gawenda,
Assistant Editor
Sholem Aleichem College

ווי צו ניצן דאָס ביכל

דער לייענער וועט באַמערקן אַז געוויסע ווערטער אין דעם טעקסט ווערן אַרויסגעהויבן אין פֿעטע אותיות. די ווערטער ווערן איבערגעזעצט אין דעם גלאָסאַר צום סוף פֿון יעדן קאַפּיטעלע. אין דעם גלאָסאַר ווערן די ווערטער געגעבן אין דעם סדר אין וועלכן זיי באַווײַזן זיך אין דעם טעקסט.

אָט זײַנען עטלעכע דערקלערונגען אין שײַכות מיט זאַצטיילן:

- פֿאַרן סובסטאַנטיוו קומט אין פֿעטע אותיות דער אַרטיקל וואָס ווײַזט אָן אויפֿן גראַמאַטישן מין. אין פֿאַלן ווו דער סובסטאַנטיוו פֿיגורירט אין דעם טעקסט נאָר אין איינצאָל ווערט אָנגעגעבן נאָר די לשון־יחיד־פֿאָרמע; אויב דער סובסטאַנטיוו פֿיגורירט אין דעם טעקסט נאָר אין מערצאָל קומט די לשון־יחיד־פֿאָרמע פּלוס דער אַרטיקל אין האַלבע לבֿנות נאָכן סובסטאַנטיוו.
- ווערבן ווערן געגעבן אין דער פֿאָרמע אין וועלכער זיי פֿיגורירן אינעם טעקסט; נאָך דעם קומט דער אינפֿיניטיוו אין האַלבע לבֿנות.
- אַדיעקטיוון ווערן געגעבן אין דער פֿאָרמע אין וועלכער זיי פֿיגורירן אין דעם טעקסט. דער דעקלינירטער אויסלאָז קומט נאָך אַ מקף. למשל: געשמאַק־ן.
- דער אַרויסרעד פֿון אַלע ווערטער וואָס שטאַמען פֿון לשון־קודש ווערט געגעבן אין פֿאָנעטישער טראַנסקריפּציע אין קאַנטיקע קלאַמערן.

די פּרטים זײַנען אַ ביסל אַנדערש אין דעם אַלגעמיינעם גלאָסאַר צום סוף פֿונעם ביכל און ווערן דאָרטן באַשריבן.

דער גאַנצער טעקסט ווערט באַלייט פֿון אַן אודיאָ־רעקאָרדירונג. מיר לייגן פֿיר אַז סטודענטן זאָלן זיך איין מאָל צוהערן איידער זיי לייענען דאָס קאַפּיטעלע, און דערנאָך כאָטש איין מאָל נאָכן איבערלייענען. ווען זיי האָבן איבערגעלייענט דאָס גאַנצע קאַפּיטל זאָלן זיי זיך נאָך אַ מאָל צוהערן צום גאַנצן. הערט זיך צו און האָט הנאה!

HOW TO USE THIS BOOK

The reader will notice that in the story certain words are highlighted in bold. These words are translated in the glossary at the end of each subchapter. In this glossary the words are listed in the order in which they appear in the text.

Following are some guidelines regarding parts of speech:

• Nouns are preceded by the article indicating their gender in bold. In cases in which only the singular form of a noun appears in the text, only the singular is given; if the noun appears in the text in the plural form only, the plural is followed by both the singular and its appropriate article in parentheses.

• Verbs are given in the form in which they appear in the text, followed by the infinitive in parentheses.

• Adjectives are given in the form in which they appear in the text, with the declined ending set off by a hyphen. i.e. געשמאַק־ן.

• The pronunciation of all words derived from *Loshn-koydesh* (traditional Hebrew and Hebrew-Aramaic) is offered phonetically in square brackets.

Some of these details differ in the cumulative glossary at the end of the book and are described there.

The entire text is accompanied by an audio recording. We suggest that students listen once before reading the subchapter, and then at least once after reading it. When students have completed the whole chapter, they should listen again to the chapter in its entirely again. Listen and enjoy!

ABBREVIATIONS AND SYMBOLS USED IN THIS BOOK

adverb	*adv.*
diminutive	*dim.*
English	*Eng.*
feminine	*fem.*
humorous	*hum.*
id est/that is	*i.e.*
intransitive	*intrans.*
literally	*lit.*
perfective	*perf.*
plural	*pl.*
Russian	*Rus.*
something	*stg.*
transitive	*trans.*
diminutive or iminutive	◆

ILLUSTRATIONS

Motl Peyse dem khazns is probably the most popular work of children's literature in Yiddish, beloved by both children and adults the world over. Since its publication in 1907, it has appeared in many Yiddish editions and has been translated into a number of languages. In illustrating this book we have drawn on the artwork found in several of these volumes. Rather than presenting readers with *Motl* as depicted by a single artist, we have chosen works by a number of artists. These range from the almost iconic works by the Russian-Jewish artist Hersh (Grigori) Inger that appeared in the 1945 Soviet edition, and then later in the 1959 Mexican edition, as well as his later, more modern, drawings, to those of other Soviet artists, such as Mendl Gorshman and V. Losin, and the probably lesser known works of the Canadian Selwyn Dewdney and others. We hope that this will allow students to appreciate how *Motl* has inspired the artistic imagination and also to imagine Motl himself in different ways.

FRONT COVER ILLUSTRATION

Hersh (Grigori) Inger, in Sholem Aleichem, *Mal'chik Motl* (The Boy Motl*). Moscow: Kul'turnaya revolutsia: Terebinf, 2007.

FRONT PLATE: DRAWING OF SHOLEM ALEICHEM

Hersh (Grigori) Inger, in Sholem Aleichem, *Der blutiker shpas* (The Bloody Joke), Moscow: *Sovetish Heymland*, 1989: 1-12.

---

*All titles with the word "Motl" refer to *Motl Peyse dem khazns* but the editors have translated the titles according to their literal meaning. Note that the translation of *Motl Peyse dem khazns* (Motl the Son of Peyse the Cantor) differs from the title of the published English translation referred to here.

CHAPTER 1

Alef:

P. טז: Hersh (Grigori) Inger, in Sholem Aleichem, *Mal'chik Motl.* Translated by M. Shambadal. Moscow: OGIZ, 1945.

P. 2: Hersh (Grigori) Inger, in Sholem Aleichem, *Motl Peyse dem khazns* (Motl the Son of Peyse the Cantor). Edited by Sh. Ferdman. Mexico: Di yidishe shul, 1959.

Beys:

P. 5: Mendl Gorshman, in Sholem Aleichem, *Schast'e privalilo* (The Jackpot). Compiled by M. Belenki. Moscow: Gos. izd-vo khudozhestvennoi literaturi, 1959.

P. 7: Ilya Schor, in Sholem Aleichem, *Adventures of Mottel the Cantor's Son.* Translated by Tamara Kahana. New York: Henry Schuman, 1953.

Giml:

P. 11: Hersh (Grigori) Inger, in *Mal'chik Motl*, 2007.

Dalet:

P. 14: Hersh (Grigori) Inger, in *Mal'chik Motl*, 2007.

P. 15: Ilya Schor, in *Adventures of Mottel the Cantor's Son*, bilingual edition. Translated by Tamara Kahana, Shelter Island, New York: The Sholem Aleichem Network, 2001.

Hey:

P. 19: Hersh (Grigori) Inger, in *Mal'chik Motl*, 2007.

P. 20: Mendl Gorshman, in *Schast'e privalilo*, 1959.

Zayen:

P. 27: Mendl Gorshman, in *Schast'e privalilo*, 1959.

CHAPTER 2

Alef:

P. 30: Ilya Schor, in *Adventures of Mottel the Cantor's Son*, 1953.

P. 32: V. Losin, in *Istorii dl'a detei* (Stories for Children). Moscow: DETGIZ, 1956.

Beys:

P. 34: Mendl Gorshman, in *Schast'e privalilo*, 1959.

Giml:

P. 38: Mendl Gorshman, in *Schast'e privalilo*, 1959.

P. 40: Selwyn Dewdney, in *Sholom Aleichem Panorama*. Edited by Melech Grafstein. London, Canada: *The Jewish Observer*, 1948.

Dalet:

P. 42: Mendl Gorshman, in *Schast'e privalilo*, 1959.

CHAPTER 3

Alef:

P. 48: Hersh (Grigori) Inger, in *Mal'chik Motl*, 1945.

Beys:

P. 52: Mendl Gorshman, in *Schast'e privalilo*, 1959.

Giml:

P. 56: Mendl Gorshman, in *Schast'e privalilo*, 1959.

Zayen:

P. 66: Selwyn Dewdney, in *Sholom Aleichem Panorama*, 1948.

Khes:

P. 69: Hersh (Grigori) Inger, in *Mal'chik Motl*, 1945.

CHAPTER 4
Alef:
P. 72: Hersh (Grigori) Inger, in *Mal'chik Motl*, 1945.

Beys:
P. 76: Selwyn Dewdney, in *Sholom Aleichem Panorama*, 1948.
P. 78: Selwyn Dewdney, in *Sholom Aleichem Panorama*, 1948.

Giml:
P. 81: David Labkovski, in *Shalom Aleichem and His Heroes*. Tel-Aviv: Shalom Publishing House, 1959.

Hey:
P. 88: Mendl Gorshman, in *Schast'e privalilo*, 1959.

CHAPTER 5
Alef:
P. 92: Hersh (Grigori) Inger, in *Motl Peyse dem khazns*. Mexico, 1959.

Beys:
P. 96: Hersh (Grigori) Inger, in *Mal'chik Motl*, 2007.

Giml:
P. 99: Hersh (Grigori) Inger, in *Mal'chik Motl*, 2007.

Dalet:
P. 103: *Istorii dl'a detei* . Moscow: DETGIZ, 1956.

Vov:
P. 110: Mendl Gorshman, in *Schast'e privalilo*, 1959.

CHAPTER 6

Alef:

P. 112: Hersh (Grigori) Inger, in *Mal'chik Motl*, 1945.

P. 115: Hersh (Grigori) Inger, in *Mal'chik Motl*, 2007.

Giml:

P. 120: Mendl Gorshman, in *Schast'e privalilo*, 1959.

P. 122: Ilya Schor, in *Adventures of Mottel the Cantor's Son*, 2001.

CHAPTER 7

Alef:

P. 124: Mendl Gorshman, in *Istorii dl'a detei*. Moscow: Detskaya literatura, 1966.

Beys:

P. 128: Hersh (Grigori) Inger, in *Mal'chik Motl*, 2007.

Zayen:

P. 142: Selwyn Dewdney, in *Sholom Aleichem Panorama*.

P. 143: V. Losin, in *Istorii dl'a detei*, 1956.

CHAPTER 8

Alef:

P. 146: Hersh (Grigori) Inger, in *Mal'chik Motl*, 2007.

Giml:

P. 155: Mendl Gorshman, in *Schast'e privalilo*, 1959.

Hey:

P. 161: B. Gumener-Nutkiewicz, in *Sholom Aleichem Panorama*, 1948.

Zayen:

P. 169: Ilya Schor, in *Adventures of Mottel the Cantor's Son*, 1953.

P. 171: Selwyn Dewdney, in *Sholom Aleichem Panorama*, 1948.

P. 174: Lola, in *Dos Sholem-Aleykhem-bukh* (The Sholem Aleichem Book). Edited by Y. D. Berkovitch. New York: IKUF, 1958.

BACK COVER ILLUSTRATION

Hersh (Grigori) Inger, in *Mal'chik Motl*, 2007.

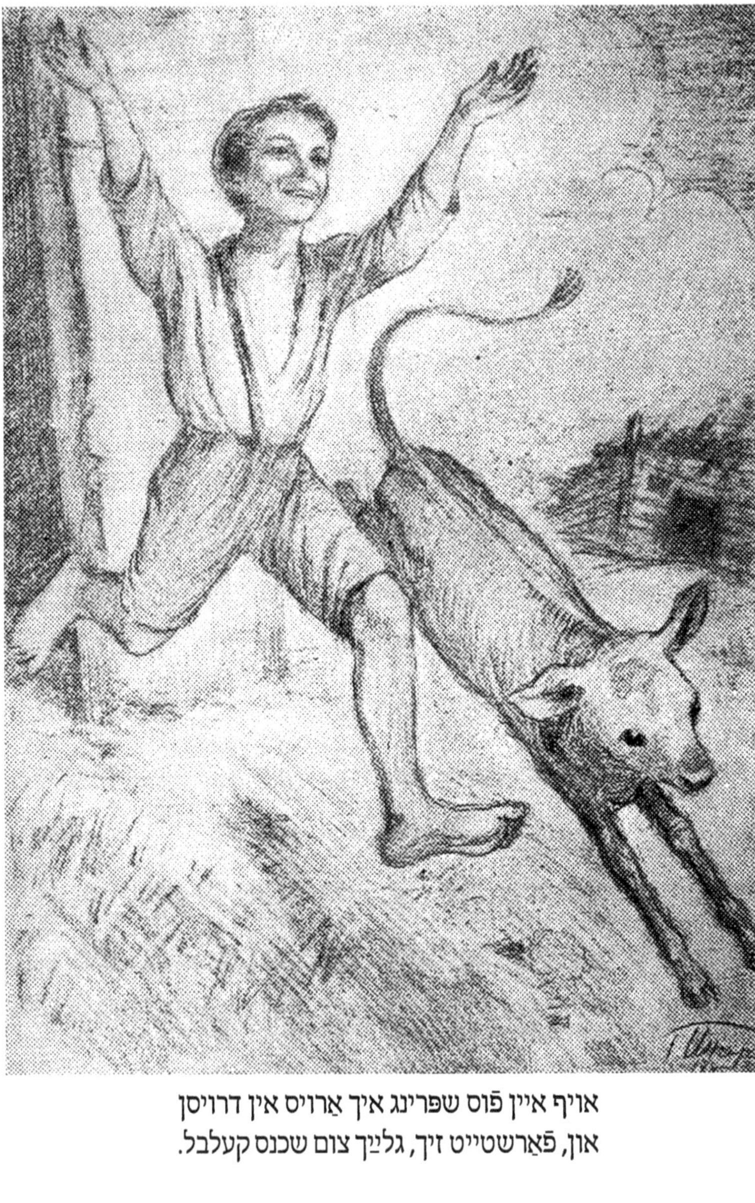

אויף איין פֿוס שפּרינג איך אַרויס אין דרויסן
און, פֿאַרשטייט זיך, גלייַך צום שכנס קעלבל.

קאַפּיטל 1

איך און דאָס קעלבל

א

איך גיי מיט אײַך אין געוועט אַז קיינער אין דער וועלט איז נישט געווען אַזוי צופֿרידן מיטן וואַרעמען ליכטיקן נאָכפּסח ווי איך, פּייסע דעם חזנס ייִנגל, מאָטל, און דעם שכנס קעלבל מעניע.

ביידע גלײַך האָבן מיר דערפֿילט די ערשטע שטראַלן פֿון דער וואַרעמער זון אינעם ערשטן וואַרעמען נאָכפּסחדיקן טאָג, ביידע גלײַך האָבן מיר דערשמעקט דעם ריח פֿונעם ערשטן גרינעם גרעזעלע. איך, פּייסע דעם חזנס ייִנגל, בין אַרויס פֿון אַ קאַלטן, נאַסן קעלער, וואָס שמעקט מיט רפֿואות, און מעניע, דעם שכנס קעלבל, איז אַרויס פֿון אַ קליין, פֿינצטער שטעלכל.

מיר ביידע, איך און מעניע, זײַנען אַרויסגעגאַנגען אויף גאָטס פֿרײַער וועלט און האָבן זיך געפֿרייט. איך, פּייסע דעם חזנס ייִנגל, האָב אויפֿגעהויבן ביידע הענט אַרויף, אויפֿגעעפֿנט דאָס מויל און אַרײַנגעצויגן אין זיך די פֿרישע וואַרעמע לופֿט, און איך האָב געמיינט אַז איך וואַקס און עס ציט מיך אַרויף־אַרויף, אין דער טיפֿער־טיפֿער בלויער יאַרמלקע אַרײַן, דאָרט מיט די וואָלקנס און די ווײַסע פֿייגל, און עס רײַסט זיך אַרויס פֿון מיר אַ מין געזאַנג, נאָך שענער ווי יום־טובֿ מיטן טאַטן בײַם עמוד, אַ געזאַנג אָן ווערטער, אָן נאָטן, אַ מין נאַטור־געזאַנג, אַ מין שיר־השירים:

אוי־ווײ, טאַטע!

דאָס קעלבל אַ „מע”, איך אַ „מע”.

אוי־ווײ, פֿאָטער!

אוי־ווײ, לעבעדיקער גאָאָאָאָטו!!!

מעניע דעם שכנס קעלבל איז אויפֿגעשפּרונגען אויף אַלע פֿיר און אַרויסגעלאָזט אַ „מע!”. איך האָב געמיינט אַז דער „מע” איז אַזוי קאָמיש אַז איך האָב שטאַרק געלאַכט און נאָכגעמאַכט פּונקט דעם זעלבן „מע” וואָס מעניע. אַזוי עטלעכע מאָל: איך אַ שפּרונג, דאָס קעלבל אַ שפּרונג. דאָס קעלבל אַ „מע”, איך אַ „מע”. ווער ווייסט ביז וואַנען דאָס שפּיל וואָלט זיך אַזוי געצויגן, ווען נישט אַ שנײַד פֿון הינטן אין האַלדז אַרײַן פֿון מײַן עלטערן ברודער אליה מיט אַלע זײַנע פֿינף פֿינגער:

– אַ בחורל פֿון כּמעט נײַן יאָר טאַנצט מיט אַ קעלבל!... איך שטוב אַרײַן גיי, דו הולטײַ איינער! דער טאַטע וועט דיר שוין געבן!...

דאָס קעלבל ◆ ← **דאָס קאַלב**	little calf
גיי מיט איַיך אין געוועט (גיין מיט איַיך אין געוועט)	bet you
דאָס געוועט	bet, wager
דעם שכנס [שאָכנס] ← **דער שכן** [שאָכן]	the neighbo(u)r's
די שטראַלן (**דער שטראַל**)	rays
דער ריח [רייעד]	smell, scent
דאָס גרעזעלע	blade of grass
נאַס־ן	wet, damp
דער קעלער	cellar, basement
די רפֿואות [רעפֿועס] (**די רפֿואה**) [רעפֿוע]	drugs, remedies, medicines
דאָס שטעלכל ◆ ← **די/דער שטאַל**	little stall, shed
אַריַינגעצויגן (אַריַינציִען)	drew in
טיפֿ־ער	deep
די וואָלקנס (**דער וואָלקן**)	clouds
רײַסט זיך אַרויס (אַרויסרײַסן זיך)	tears itself, bursts forth
דער עמוד [אָמעד]	pulpit where the cantor stands
שיר־השירים [שיר־(ה)אַשירים]	Song of Songs, *a book of the Bible, attributed to King Solomon, read at Passover*
אַרויסגעלאָזט (אַרויסלאָזן)	let out
קאָמיש	comical, funny
נאָכגעמאַכט (נאָכמאַכן)	imitated, copied
פּונקט	exactly
זיך געצויגן (ציִען זיך)	continued, lasted
דער שנײַד	blow, hit (*lit.* "cut")
הינטן	behind, *adv.*
אליה [עליע]	*male name*
דאָס בחורל [באָכערל] ◆ ← **דער בחור** [באָכער]	boy, lad
דער הולטײַ	rascal, mischievous person; good-for-nothing

גענייטונגען

I. ענטפֿערט אויף יעדער פֿראַגע אין אַ פֿולן זאַץ.

1. ווער איז געווען צופֿרידן מיטן וואַרעמען ליכטיקן נאָכפּסח?
2. וואָס האָבן מאָטל און מעניע ביידע גלייך געטאָן?
3. ווי האָט געהייסן מאָטלס טאַטע?
4. פֿון וואַנען איז מאָטל אַרויס?
5. מיט וואָס האָט געשמעקט דער קעלער?
6. פֿון וואַנען איז מעניע אַרויס?
7. פֿאַר וואָס האָבן זיך מאָטל און מעניע געפֿרייט?
8. וואָס איז די „בלויע יאַרמלקע" וועגן וועלכער מאָטל רעדט?
9. וואָס פֿאַר אַ געזאַנג רייסט זיך אַרויס פֿון מאָטלען?
10. צו וואָס פֿאַרגלייכט מאָטל דאָס געזאַנג?
11. וואָס האָט מאָטל געטאָן ווען ער האָט געהערט מעניעס „מע"?
12. ווער האָט מאָטלען געלערנט אַ שנייד פֿון הינטן אין האַלדז אַריין מיט אַלע פֿינף פֿינגער?
13. ווי אַלט איז מאָטל?

ב

בלאָטע! דער טאַטע וועט מיר נישט „געבן" גאָרנישט. דער טאַטע איז קראַנק. ער דאַוונט שוין נישט פֿאַרן עמוד פֿון שׂימחת־תּורה אָן. ער **הוסט** גאַנצע נעכט, דער שוואַרצער דאָקטער גייט צו אונדז. ער איז אַ פֿריילעכער דאָקטער מיט שוואַרצע **וואָנצעס** און מיט לאַכנדיקע אויגן. מיך רופֿט ער „**פּופּיק**". ער זאָגט אָן אַלע מאָל דער מאַמען, אַז מען זאָל דעם קראַנקן געבן נאָר **בוליאָן** און מילך, מילך און בוליאָן.

די מאַמע באַהאַלט דאָס פּנים אין פֿאַרטעך... נאָך דעם ווישט זי אויס די אויגן, רעדט שטילערהייט מיט מײַן ברודער אליה. וואָס זיי רעדן ווייס איך נישט, נאָר איך מיין, זיי קריגן זיך.

– וואָס זאָל איך טאָן מײַן זון, אַ רחמנות אויפֿן טאַטן... מע מוז דאָך אים ראַטעווען!...

– פֿאַרקויפֿט מען עפּעס, – זאָגט מײַן ברודער אליה און קוקט אויף דער גלעזערנער שאַפֿע.

און די מאַמע קוקט אויך אויף דער זעלבער שאַפֿע, ווישט די אויגן און זאָגט שטיל, – וואָס זאָל איך פֿאַרקויפֿן? די נשמה? שוין נישטאָ וואָס צו פֿאַרקויפֿן, סײַדן די ליידיקע שאַפֿע?

– פֿאַר וואָס נישט? – זאָגט איר מײַן ברודער אליה.

– פֿון וואַנען האָב איך גענומען אַזעלכע שלעכטע קינדער? – ענטפֿערט אים די מאַמע מיט רויטע אויגן. זי וויינט זיך אויס, בעט זיך באַלד איבער. אַזוי איז געווען מיט אַלע זאַכן וואָס מיר האָבן פֿאַרקויפֿט.

מיכל דער פּאַקן־טרעגער

די ספֿרים האָט געקויפֿט מיכל דער פּאַקן־טרעגער. די מאַמע האָט אים געוויזן מיטן פֿינגער ער זאָל רעדן שטיל, אַז דער טאַטע זאָל נישט הערן. מיכל האָט פֿאַרשטאַנען, זיך געקראַצט אונטערן בערדל און אַ זאָג געטאָן:

– אַנו, ווײַזט, וואָס האָט איר דאָרטן?

מיט אַ ווונק האָט מיר די מאַמע געוויזן, איך זאָל אַרויף אויפֿן טיש און דערלאַנגען די ספֿרים. צוויי מאָל זאָגן האָט זי

נישט געדאַרפֿט. מיכל האָט זיך געקראַצט דאָס בערדל און געזאָגט חסרונות. יעדער ספֿר האָט זײַן חסרון: דאָרט איז דער בונד געווען נישט גוט, בײַ דעם דער רוקן. דערנאָך האָט ער זיך נאָך אַ מאָל געקראַצט דאָס בערדל.

מע הערט אַ הייזעריקע שטים פֿונעם צווייטן אַלקער, ווו דער טאַטע ליגט, – ווער איז דאָרטן?

– קיינער נישט! – ענטפֿערט אים די מאַמע און שיקט מײַן ברודער אליה צום קראַנקן. זי אַליין פֿאַרקויפֿט מיכל דעם פֿאַקטרעגער די ספֿרים אַ פּנים פֿאַר זייער ווייניק געלט, ווײַל אַז מײַן ברודער אליה קומט אַרויס פֿונעם טאַטנס אַלקער און פֿרעגט – „וויפֿל?” – זאָגט זי אים: – „ס'איז נישט דײַן עסק!...” און מיכל כאַפּט די ספֿרים גיך־גיך און לויפֿט אַרויס.

nonsense! rubbish! (*lit.* “mud”)	די בלאָטע
coughs	הוסט (הוסטן)
mustache	די וואָנצעס *pl.*
navel, belly button; *affectionate term for a child*	דער פּופּיק
bouillon, broth	דער בוליאָן
apron	דער/דאָס פֿאַרטעך
wipe, dry	ווישט אויס (אויסווישן)
quarrel	קריגן זיך (קריגן זיך)
pity, compassion	דאָס רחמנות [ראַכמאָנעס]
after all, obviously; still	דאָך
rescue, save	ראַטעווען
sell	פֿאַרקויפֿט (פֿאַרקויפֿן)
at the glass cupboard	אויף דער גלעזערנער שאַפֿע ←
(of) glass	גלעזערנ־ע
cupboard	די שאַפֿע

די ספֿרים האָט געקויפֿט מיכל דער פּאַקן־טרעגער.

soul	די נשמה [נעשאָמע]
unless, except for	סײַדן
empty	ליידיק־ע
has a good cry	וויינט זיך אויס (אויסוויינען זיך)
makes up, is reconciled	בעט זיך איבער (איבערבעטן זיך)
Jewish religious books	די ספרים [ספאָרים]
	(דער ספר) [סייפער]
book peddler	דער פּאַקן־טרעגער
scratched himself	זיך געקראַצט (קראַצן זיך)
well then; let's see!; go ahead!	אַנו
wink, glance, signal	דער ווונק
showed	געוויזן (ווײַזן)
hand, pass	דערלאַנגען
faults, defects	די חסרונות [כעסרוינעס]
	(דער חסרון) [כעסאָרן]
binding	דער בונד
spine (of book)	דער רוקן
hoarse	הייזעריק־ע
alcove, small room	דער אַלקער
apparently, seemingly	אַ פּנים [אַפּאָנעם]
business, concern	דער/דאָס עסק [אייסעק]
grabs, catches	כאַפּט (כאַפּן)

געניטונגען

I. פּאָרט צונויף דעם טוער מיט די טוונגען. שטעלט די ריכטיקע נומערן לעבן דעם טוער. שרײַבט איבער דעם זאַץ אָדער לייענט אים איבער אויף אַ קול.

קאַפּיטל 1: איך און דאָס קעלבל

דער טאַטע	1. דאַוונט שוין נישט פֿאַרן עמוד פֿון שׂימחת־תּורה אָן.
	2. באַהאַלט דאָס פּנים אין פֿאַרטעך און וויינט.
	3. האָט געקויפֿט די ספֿרים.
דער דאָקטער	4. האָט שוואַרצע וואָנצעס מיט לאַנג־דיקע אויגן.
	5. זאָגט, מע זאָל עפּעס פֿאַרקויפֿן.
	6. זאָגט, אַז מע דאַרף רעספּעקטירן דעם טאַטן.
די מאַמע	7. איז קראַנק און הוסט גאַנצע נעכט.
	8. זאָגט, מע זאָל געבן דעם קראַנקן בוליאָן און מילך.
	9. ווערט גערופֿן „פּופּיק״.
דער ברודער אליה	10. האָט זיך געקראַצט אונטערן בערדל און געוואָלט זען די ספֿרים.
	11. פֿרעגט מיט אַ הייזעריקער שטים, – ווער איז דאָרטן?
מאָטל	12. האָט געוויזן מיט אַ ווונק, מע זאָל דערלאַנגען מיכלען די ספֿרים.
	13. האָט געדאַרפֿט אַרויף אויפֿן טיש און דערלאַנגען די ספֿרים.
	14. האָט זיך געקראַצט דאָס בערדל און געזאָגט חסרונות.
מיכל דער פּאַקן־טרעגער	15. פֿרעגט, פֿאַר וויפֿל די מאַמע האָט פֿאַרקויפֿט די ספֿרים?
	16. פֿאַרקויפֿט מיכלען די ספֿרים אַ פּנים פֿאַר זייער ווייניק געלט.

ג

פֿון די אַלע זאַכן, וואָס מיר האָבן אויספֿאַרקויפֿט פֿון שטוב, האָט מיר קיינס פֿון זיי נישט געגעבן אַזוי פֿיל פֿאַרגעניגן ווי די גלעזערנע שאַפֿע.

וואָס הייסט מע וועט זי צונעמען? ווי אַזוי וועט מען זי נעמען? נחמן דער סטאָליער איז געשטאַנען און געמאָסטן די שאַפֿע. ער האָט געזאָגט אַז די שאַפֿע וועט נישט אַרויס פֿון דער טיר.

– ווי אַזוי איז זי אַרײַן? – פֿרעגט אים מײַן ברודער אליה.

– גיי פֿרעג זי! – ענטפֿערט אים נחמן מיט כּעס. – איך ווייס ווי זי איז אַרײַן? מע האָט זי אַרײַנגעטראָגן, איז זי אַרײַן!...

עס האָט אָבער לאַנג נישט גענומען, און נחמן דער סטאָליער איז געקומען מיט זײַנע צוויי בנים, אויך סטאָליאַרעס, צו נעמען אונדזער גלעזערנע שאַפֿע; פֿריִער איז געגאַנגען נחמן, נאָך דעםביידע בנים, הינטן – איך. דער פֿאָטער האָט געקאָמאַנדעוועט: „קאָפּל, אָן אַ זײַט! מענדל, רעכטס. קאָפּל, נישט לויף! מענדל, האַלט!"... איך האָב זיי געהאָלפֿן.

די מאַמע און מײַן ברודער אליה האָבן נישט געוואָלט העלפֿן. זיי זענען געשטאַנען, געקוקט אויף דער ליידיקער וואַנט און האָבן געוויינט... – נאָר זיי וויינען!...

פּלוצעם – טרראַך. סאַמע בײַ דער טיר האָט געפּלאַצט דאָס גלאָז, און דער סטאָליער מיט די בנים האָבן גענומען שרײַען: „בערישע פּיס!"

– וואָס איז דאָרטן? – הערט זיך אַ הייזעריק קול פֿונעם קראַנקן־אַלקער.

– גאָרנישט! – ענטפֿערט די מאַמע און ווישט די אויגן.

קאַפּיטל 1: איך און דאָס קעלבל

נחמן דער סטאָליער איז געקומען מיט זײַנע
צוויי בנים צו נעמען אונדזער גלעזערנע שאַפֿע.

קיינס	none
דאָס/דער פֿאַרגעניגן	pleasure
נחמן [נאַכמען]	*male name*
דער סטאָליער	carpenter
געמאָסטן (מעסטן)	measured
דער כּעס [קאַ(אַ)ס]	anger
די בנים [באָנים]	sons
די סטאָליאַרעס/סטאָליערס	carpenters
געקאָמאַנדעוועט (קאָמאַנדעווען)	gave orders, commanded
אָן אַ זײַט	to the side
פּלוצעם	suddenly
סאַמע בײַ דער טיר	right at the door
בערישע פֿיס	two left feet (*lit.* “bearlike feet”)

געניטונגען

I. פֿאַר יעדן זאַץ, שרײַבט צי ער איז ריכטיק אָדער נישט־ריכטיק. אַ זאַץ איז ריכטיק נאָר אויב ער איז עס טאַקע אין גאַנצן, אויף הונדערט פּראָצענט. אויב אַ זאַץ איז נישט־ריכטיק, שרײַבט אים איבער און בעסערט אים אויס.

1. מאָטל האָט נישט געהאַט קיין פֿאַרגעניגן פֿון פֿאַרקויפֿן די גלעזערנע שאַפֿע.
2. עס איז נישט גרינג אַרויסצונעמען די גלעזערנע שאַפֿע.
3. נחמן דער סטאָליער האָט געמאָסטן די שאַפֿע.
4. נחמן דער סטאָליער זאָגט, מע זאָל פֿרעגן בײַ דער מאַמען, ווי אַזוי די שאַפֿע איז אַרײַן אין שטוב.
5. נאָך אַ לאַנגער צײַט איז נחמן דער סטאָליער געקומען מיט זײַנע צוויי זין צו נעמען די גלעזערנע שאַפֿע.
6. מאָטל איז געגאַנגען פֿון הינטן. פֿריִער זײַנען געגאַנגען נחמן מיט די בנים.

7. די צוויי ציין, אויך סטאָליאַרעס, הייסן מאַנדל און קאַפּל.
8. די מאַמע און אליה העלפֿן נישט. נאָר די מאַמע וויינט.
9. פּלוצעם, סאַמע בײַ דער טיר, האָט געפּלאַצט דאָס גלאָז פֿון דער שאַפֿע.
10. דער סטאָליער מיט די בנים האָבן גענומען לאַכן.
11. פֿון קראַנקן־אַלקער קאָן מען הערן דעם טאַטנס הייזעריק קול.

II. שפּילט אויס די סצענע ווי מע נעמט אַוועק די גלעזערנע שאַפֿע.

ד

— וואָס טוט מען ווײַטער?

אַזוי זאָגט די מאַמע צו מײַן ברודער אליה און באַטראַכט די ליידיקע פֿיר ווענט. איך און מײַן ברודער אליה העלפֿן איר באַקוקן די פֿיר ווענט. מײַן ברודער אליה קוקט אויף מיר פֿאַרזאָרגט און מיט רחמנות.

— גיי אין דרויסן! מיר דאַרפֿן דאָ עפּעס רעדן...

אויף איין פֿוס שפּרינג איך אַרויס אין דרויסן און, פֿאַרשטייט זיך, גלײַך צום שכנס קעלבל.

די לעצטע צײַט איז מעניע אויסגעוואַקסן, געוואָרן שיין, די אויגן קלוג, מיט פֿאַרשטאַנד, ווי להבֿדיל אַ מענטש.

— שוין? דו שפּילסט זיך שוין ווידער מיטן קעלבל?...

אַזוי זאָגט צו מיר מײַן ברודער אליה און זאָגט, אַז ער גייט מיט מיר צו הערש־בער דעם חזן. בײַ הערש־בער דעם חזן, זאָגט ער, וועט מיר זײַן גוט. ערשטנס, זאָגט ער, וועל איך האָבן וואָס צו עסן. אין דער היים איז נישט גוט, זאָגט ער. דער טאַטע, זאָגט ער, איז קראַנק, מע דאַרף אים ראַטעווען. מיר ראַטעווען אים, זאָגט ער, ווי ווײַט מיר קענען. און מײַן ברודער אליה ווײַזט מיר אויף זײַן זשילעט:

אליה זאָגט אַז ער גייט מיט
מיר צו הערש־בער דעם חזן.

– אָט האָב איך געהאַט אַ זייגער, אַ מתּנה פֿון מײַן מחותּן, האָב איך אים פֿאַרקויפֿט. דער מחותּן זאָל ווייסן...

איך דאַנק גאָט, וואָס זײַן מחותּן ווייסט נישט פֿונעם זייגער.

– אָט זענען מיר געקומען! – מאַכט צו מיר מײַן ברודער אליה, וואָס ווערט צו מיר אַלע מינוט מער פֿרײַנדלעך.

הערש־בער איז אַ חזן נאָר ער אַליין קען נישט זינגען. ער האָט פּופּצן זינגערלעך, און איז אַ בייזער מענטש. ער הערט ווי איך זינג. ער זאָגט צו מײַן ברודער, אַז איך האָב אַ "סאָפּראַנאָ". מײַן ברודער זאָגט, אַז נישט נאָר אַ סאָפּראַנאָ, נאָר אַ **סאָפּראַנאָ־שבסאָפּראַנאָ!** מײַן ברודער אליה נעמט בײַ אים אַ ביסל געלט און זאָגט מיר, אַז איך בלײַב שוין דאָ, בײַ **רב** הערש־בער דעם חזן. איך זאָל אים **פֿאָלגן**, זאָגט ער, און איך זאָל נישט **בענקען!**...

אים איז גרינג צו זאָגן, איך זאָל נישט בענקען! ווי אַזוי זאָל איך נישט בענקען זומער? די זון באַקט, דער הימל איז ווי קרישטאָל. ווי אַזוי זאָל איך נישט בענקען נאָך מעניען, אונדזער שכנס קעלבל?...

„אָט האָב איך געהאַט אַ זייגער,
אַ מתּנה פֿון מײַן מחותּן".

באַטראַכט (באַטראַכטן)	examines; observes
באַקוקן	look over, examine
פֿאַרזאָרגט	worried
אין דרויסן	outside
פֿאַרשטייט זיך	of course, naturally
די לעצטע צײַט	lately, of late
דער פֿאַרשטאַנד	understanding, judgment
להבֿדיל [לעהאַוודל]	excuse the comparison, *expression used to make a distinction between things of a different order (i.e., sacred and profane, high and low, etc.) mentioned one after the other*
דער זשילעט	vest
דער מחותּן [מעכוטן]	male relative by marriage, *here,* future father-in-law
סאָפּראַנאָ־שבסאָפּראַנאָ [שעבעסאָפּראַנאָ]	soprano of the sopranos, *i.e.,* the best of the sopranos
רב [רעב]	Mister, *traditional title prefixed to Jewish man's first name*
פֿאָלגן	obey
בענקען (נאָך)	be homesick, long (for)
גרינג	easy
דער קרישטאָל	crystal, cut glass

געניטונגען

I. קלײַבט אויס דעם פּאַסיקן טייל אויף צו מאַכן אַ ריכטיקן זאַץ. עס קענען זײַן עטלעכע מעגלעכקייטן. דערשרײַבט דעם זאַץ אָדער לייענט אים אויף אַ קול.

1. א) נאָר די מאַמע קוקט

ב) נאָר די מאַמע און אליה קוקן

ג) די מאַמע, אליה און מאָטל קוקן
אויף די ליידיקע פֿיר ווענט.

2. אליה זאָגט מאָטלען, ער זאָל גיין אין דרויסן
א) און זיך שפּילן.
ב) ווײַל ער מיט דער מאַמען דאַרפֿן עפּעס רעדן.
ג) ווײַל מעניע דעם שכנס קעלבל וואַרט אויף אים.

3. אויף איין פֿוס שפּרינגט מאָטל
א) אַרום דער שטוב.
ב) אַרויס אין דרויסן.
ג) אַרום דעם שכנס קעלבל.

4. דעם שכנס קעלבל מעניע
א) איז אויסגעוואַקסן.
ב) איז שיין, ווי להבֿדיל אַ מענטש.
ג) האָט קלוגע אויגן מיט פֿאַרשטאַנד, ווי להבֿדיל אַ מענטש.

5. אליה זאָגט, אַז בײַ הערש־בער דעם חזן וועט מאָטלען זײַן גוט ווײַל
א) דאָרט וועט ער האָבן וואָס צו עסן.
ב) פֿון דאָרטן וועט ער בעסער קענען ראַטעווען דעם טאַטן.
ג) ער וועט זיך דאָרטן אויסלערנען דאַוונען.

6. אויף זײַן זשילעט
א) האָט אליה אַ זייגער.
ב) האָט אליה געהאַט אַ זייגער.
ג) האָט אליה אַ מתּנה פֿון זײַן מחותּן.

7. הערש־בער איז אַ חזן
א) און זינגט זייער גוט.
ב) נאָר קען אַליין נישט זינגען.
ג) און האָט פּופּצן זינגערלעך.

8. הערש־בער זאָגט, אַז מאָטל
א) איז נישט קיין סאָפּראַנאָ.
ב) איז אַ סאָפּראַנאָ.
ג) איז אַ סאָפּראַנאָ אָבער זינגט נישט אַזוי גוט.

9. מאָטל זאָגט,
א) ער וועט נישט בענקען.
ב) ער וועט בענקען נאָך דעם זומער.
ג) ער וועט בענקען נאָך מעניען, דעם שכנס קעלבל.

II. דערציילט איבער די מעשׂה פֿון אליהס פּערספּעקטיוו.

ה

עס איז שוין באַלד דרײַ וואָכן, ווי איך בין בײַ הערש־בער דעם חזן און איך זינג **כּמעט** גאָרנישט. איך האָב אַן אַנדער אַרבעט. איך טראָג אַרום זײַן דאָבטשען. דאָבטשע איז אַ קינד אַ **הויקער**. קיין צוויי יאָר נישט אַלט, אָבער זי איז קיין **עין־הרע** אַ שווערינקע, שווערער פֿון מיר. דאָבטשע האָט מיך ליב. זי רופֿט מיך „קיקאָ". פֿאַר וואָס קיקאָ ווייס איך נישט. דאָבטשע האָט מיך ליב. לאָזט מיך נישט שלאָפֿן גאַנצע נעכט: „קיקאָ, קי!" – דאָס הייסט: איך זאָל זי **וויגן**. דאָבטשע האָט מיך ליב. **אַז** איך עס, רײַסט זי בײַ מיר פֿונעם מויל: „קיקאָ, פּי!" – דאָס הייסט: גיב עס מיר!... איך וויל אַהיימגיין. דאָס עסן איז דאָ אויך **נישט** **אײַ־אײַ־אײַ**...

יום־טובֿ. **שבֿועות**. איך וויל גיין אין דרויסן זען, ווי דער הימל **שפּאַלט זיך**. דאָבטשע לאָזט נישט. דאָבטשע האָט מיך ליב: „קיקאָ, קי!" – זי וויל איך זאָל זי וויגן. איך וויג זי און ווער **אַנטשלאָפֿן**. און עס קומט צו מיר אַ **גאַסט** – מעניע דעם

קאַפּיטל 1: איך און דאָס קעלבל

מעניע דעם שכנס קעלבל קוקט
אויף מיר און זאָגט מיר: קום!

שכנס קעלבל, קוקט אויף מיר און זאָגט מיר: קום! און מיר גייען **באַרג־אַראָפּ**, צום טײַך. האָפּ! איך בין שוין אין טײַך. איך שווים און מעניע שווימט מיר נאָך. אויף יענער זײַט איז גוט. נישטאָ קיין חזן, נישטאָ קיין דאָבטשע, נישטאָ קיין קראַנקער טאַטע...

דאָבטשע האָט מיך ליב.

איך **כאַפּ זיך אויף** – ס׳איז נאָר אַ חלום. **אַנטלויפֿן**! אַנטלויפֿן! אַנטלויפֿן! ווי אַזוי? וווּהין? אַהיים. הערש־בער דער חזן איז שוין אָבער אויפֿגעשטאַנען פֿריִער פֿון מיר. ער הייסט מיר אָנטאָן זיך אויף גיך און גיין מיט אים אין שול. אין שול זע איך מײַן ברודער אליה. ווי קומט ער **אַהער**? ער דאַווענט דאָך בײַ די **קצבֿים**, דאָרט ווו דער טאַטע איז חזן! וואָס **באַטײַט** עס? מײַן ברודער אליה רעדט עפּעס מיט הערש־בער דעם חזן. הערש־בער דער חזן איז נישט **צופֿרידן**. ער זאָגט:

– גענדענק, באַלד נאָכן עסן!...

– קום! ווּעסט זיך זען מיטן טאַטן! – אַזוי זאָגט צו מיר מײַן ברודער אליה, און מיר גייען אַהיים. ער גייט און איך שפּרינג, איך לויף, איך פֿלי.

– **האָב צײַט!** וואָס פֿליסטו אַזוי? – זאָגט צו מיר מײַן ברודער אליה און **האַלט מיך צו**. ער וויל מיט מיר אַ ביסעלע רעדן...

– דו ווייסט? דער טאַטע איז קראַנק, זייער־זייער קראַנק!... גאָט ווייסט וואָס ס׳וועט זײַן מיט אים... מע דאַרף אים ראַטעווען, נישטאָ מיט וואָס... קיינער וויל נישט העלפֿן... שאַ, אָט גייט די מאַמע.

כמעט [קימאַט]	almost, nearly
דער הויקער	hunchback
קיין עין־הרע [איינ(ה)אָרע]	no evil eye, *used in mentioning something positive to ward off the bad luck of the evil eye*
וויגן	rock
נישט אײַ־אײַ־אײַ	not great, nothing special
אײַ־אײַ־אײַ!	wonderful! outstanding!
דער שבֿועות [שווּעס]	Shavuot, Pentecost, *holiday, celebrating the giving of the Torah to the Jews and the gathering of the first fruits*
שפּאַלט זיך (שפּאַלטן זיך)	splits, cracks *intrans.*; *there is a legend that on Shavuot after midnight the sky splits open and if one cries out for help at exactly the right moment salvation will come for the Jews*
ווער אַנטשלאָפֿן (אַנטשלאָפֿן ווערן)	fall asleep
דער גאַסט	guest
באַרג־אַראָפּ	downhill
דער טײַך	river
כאַפּ זיך אויף (אויפֿכאַפּן זיך)	wake up
דער חלום [כאָלעם]	dream
אַנטלויפֿן	run away
אַהער	here, to this place
די קצבֿים [קאַצאָווים] (דער קצבֿ) [קאַצעוו]	butchers
באַטײַט (באַטײַטן)	means, signifies
צופֿרידן	pleased, happy
האָב צײַט!	take your time! don't rush! take it easy! (*lit.* "have time")
האַלט (מיך) צו (צוהאַלטן)	holds (me) firmly; holds (me) back

געניטונגען

I. ענטפֿערט אויף יעדער פֿראַגע אין אַ פֿולן זאַץ.

1. ווי לאַנג איז מאָטל שוין בײַ הערש־בער דעם חזן?
2. וואָס טוט ער דאָרטן?
3. וואָס פֿאַר אַ קינד איז דאָבטשע?
4. ווער רופֿט ווֶעמען „קיקאָ"?
5. האָט דאָבטשע ליב מאָטלען?
6. וואָס וויל מאָטל זען אין דרויסן?
7. ווי אַזוי ווערט מאָטל אַנטשלאָפֿן?
8. ווער קומט צו מאָטלען אין חלום, ווען ער שלאָפֿט?
9. פֿאַר וואָס איז מאָטלען גוט אויף יענער זײַט טײַך?
10. וואָס וויל מאָטל טאָן ווען ער כאַפּט זיך אויף פֿון חלום?
11. דאַוונט אליה אַלע מאָל אין הערש־בערס שול?
12. וווּ וויל אליה גיין מיט מאָטלען?
13. וועגן וואָס וויל אליה רעדן מיט מאָטלען?

II. שפּילט אויס אַ שמועס צווישן

א) מאָטלען און אליהן ב) אליהן און הערש־בערן.

ו

185 די מאַמע פֿאַלט מיר אויפֿן האַלדז, און איך פֿיל אויף מײַנע
באַקן אַ טרער. מײַן ברודער אליה גייט צום קראַנקן טאַטן
און איך מיט דער מאַמען בלײַבן שטיין אין דרויסן. אַרום אונדז
שטייען אונדזער שכנס ווײַב פּעסיע די **גראָבע** און איר טאָכטער
מינדל און נאָך אַ פּאָר **ווײַבלעך**.

– איר האָט אַ גאַסט אויף שבֿועות? **גאָט ליב אײַך מיט אײַער גאַסט!**

די מאַמע לאָזט אַראָפּ די אויגן.

– אַ גאַסט. וואָס פֿאַר אַ גאַסט, אַ קינד. געקומען זען דעם קראַנקן טאַטן.

אַזוי זאָגט די מאַמע צו אַלע **ווײַבער** און צום שכנס ווײַב, צו פּעסיען, זאָגט זי שטילערהייט:

– **אַ שטאָט! עמעצער זאָל זיך אַפֿילו אַרומקוקן...** דרײַ און צוואַנציק יאָר געדאַוונט בײַם עמוד... דאָס געזונט אַוועק־געלייגט... איך וואָלט אים אפֿשר ראַטעווען – נישטאָ מיט וואָס... אַלץ, **ברוך־השם**, פֿאַרקויפֿט... דאָס לעצטע קישעלע... דאָס קינד **באַשטעלט** בײַ אַ חזן... אַלץ צוליב אים... אַלץ צוליבן קראַנקן...

אַזוי **באַקלאָגט** זיך די מאַמע פֿאַר איר **שכנה פּעסיע**. איך דריי דעם קאָפּ אויף אַלע זײַטן.

– ווען זוכסטו? – מאַכט צו מיר די מאַמע.

– ווען זוכט ער? דאָס קעלבל! **מן־הסתּם...**

אַזוי זאָגט פּעסיע מיט אַ **מאָדנע** פֿרײַנדשאַפֿט:

– ע, ייִנגעלע! נישטאָ קיין קעלבל! געמוזט פֿאַרקויפֿן דאָס דעם קצבֿ.

און פּעסיע די שכנה רעדט נאָך לאַנג מיט דער מאַמען און מיר **ציט** דאָס האַרץ צום קעלבל, צום קעלבל, צום קעלבל!... **איך זאָל מיך נישט שעמען**, וואָלט איך מיך צעוויינט...

– אַז דער טאַטע וועט דיך פֿרעגן, זאָלסטו זאָגן: אַ דאַנק גאָט!

– אַזוי זאָגט מיר די מאַמע און מײַן ברודער אליה גיט דאָס מיר צו פֿאַרשטיין אַ ביסל ברייטער:

– זאָלסט זיך נישט באַקלאָגן, זאָלסט נאָר זאָגן: אַ דאַנק גאָט. דו הערסט, וואָס מע רעדט צו דיר?

און מײַן ברודער אליה פֿירט מיך אַרײַן אין קראַנקן־חדר. דער טיש איז פֿול מיט פֿלעשעלעך. סע שמעקט **אַפּטייק**. דאָס פֿענ־צטער איז צוגעמאַכט. **לכּבֿוד** שבֿועות האָט מען אַרײַנגעבראַכט אין חדר **גרינס**. דער טאַטע דערזעט מיך, רופֿט מיך צו צו זיך מיט אַ לאַנגן דאַרן פֿינגער. איך גיי צו צום טאַטן.

איך האָב אים **קוים** דערקענט. דאָס פּנים ווי **ליים**. דער האַלדז איז אַזוי דין, אַז קוים וואָס דער קאָפּ האַלט זיך אײַן אויף אים. מיט די ליפּן מאַכט ער עפּעס מאָדנע, ווי אַ מענטש ווען ער שווימט: מפּפּו!... ער לייגט אַרויף אויף מײַן פּנים אַ הייסע האַנט מיט **ביינערדיקע** פֿינגער, דאָס פּנים מאַכט אַ **קרומען** שמייכל ווי אַ **טויטער**:

– ווּעסט **כאָטש** קענען זאָגן קדיש... האַ?...

די באַקן (די באַק)	cheeks
גראָב־ע	fat; thick
די ווײַבלעך (**דאָס ווײַבל**) ◆ ← **דאָס ווײַב**	young married women
גאָט ליב אײַך מיט אײַער גאַסט!	God love you with your guest, *a blessing for one who has received a guest*
די ווײַבער (**דאָס ווײַב**)	wives; (married) women
אַ שטאָט!	Some city; What kind of a city is this?! (*lit.* "a city")
עמעצער זאָל זיך אַפֿילו אַרומקוקן	as if anybody were even to notice
ברוך־השם [באָרו(ע)כאַשעם]	Thank God (*lit.* "blessed is God")
באַשטעלט (באַשטעלן) בײַ	apprenticed to
באַקלאָגט זיך (באַקלאָגן זיך)	complains
די שכנה [שכײנע]	female neighbo(u)r
מן־הסתם [מינאַסטאָם]	probably
מאָדנע	strange, odd
ציט (ציִען)	pulls, draws

איך זאָל מיך נישט שעמען	if I were not ashamed
שעמען זיך	be ashamed
דער חדר [כײדער]	room
די אַפּטייק	pharmacy, apothecary
לכּבֿוד [לעקאָוועד]	in hono(u)r of
דאָס גרינס	greenery *brought in to decorate the house for Shavuot*
קוים	barely
די/דאָס ליים	clay
ביינערדיק־ע	boney
קרומ־ען	crooked
דער טויטער	dead man
כאָטש	at least
דער/דאָס קדיש [קאַדעש]	kaddish, *prayer said by a mourner*

געניטונגען

I. פֿאַר יעדן זאַץ, שרײַבט צי ער איז ריכטיק אָדער נישט־ריכטיק. אויב אַ זאַץ איז נישט־ריכטיק, שרײַבט אים איבער און בעסערט אים אויס.

1. מאָטל, די מאַמע און אליה גייען צום טאַטן.
2. פּעסיע די גראָבע, איר טאָכטער מינדל און אַ פּאָר ווײַבלעך שטייען אַרום מאָטלען מיט דער מאַמען.
3. די מאַמע זאָגט, אַז מאָטל איז אַ גאַסט.
4. די מאַמע איז צופֿרידן מיט דער שטאָט, ווײַל אַלע קוקן זיך אַרום אויף זיי.
5. דער טאַטע איז געווען אַ חזן אין שטאָט דרײַ און צוואַנציק יאָר.
6. די מאַמע איז זייער צופֿרידן, וואָס זיי האָבן אַלצדינג פֿאַרקויפֿט.
7. פּעסיע זאָגט, אַז מאָטל וועט נישט געפֿינען דאָס קעלבל, ווײַל זי האָט אים פֿאַרקויפֿט דעם קצבֿ.

8. מאָטל צעוויינט זיך, ווײַל זײַן האַרץ ציט צום קעלבל און דאָס קעלבל איז שוין נישטאָ.
9. אליה זאָגט אָן מאָטלען, אַז ווען ער וועט זען דעם טאַטן זאָל ער זיך נישט באַקלאָגן, נאָר זאָגן: אַ דאַנק גאָט.
10. דער טיש אין קראַנקן־חדר איז פֿול מיט פֿלעשעלעך און סע שמעקט ווי אַן אַפּטייק.
11. לכּבֿוד שבֿועות האָט מען אַרײַנגעבראַכט גרינע פֿלעשעלעך אין קראַנקן־חדר.
12. מאָטל האָט דעם טאַטן קוים דערקענט, ווײַל דאָס פנים איז ווי לײם און דער האַלדז איז אַזוי דין.
13. דער טאַטע הייסט מאָטלען זאָגן איצט קדיש.

ז

ד
י מאַמע קומט אָן. נאָך איר דער דאָקטער, דער פֿריילעכער שוואַרצער דאָקטער. ער **באַגעגנט** מיך ווי אַן אַלטן גוטן־**ברודער** און מאַכט צום טאַטן פֿריילעך:

– איר האָט אַ גאַסט אויף שבֿועות? גאָט ליב אײַך מיט אײַער גאַסט!

– אַ דאַנק! – זאָגט די מאַמע און **ווינקט** צום דאָקטער, ער זאָל באַטראַכטן דעם טאַטן.

דער שוואַרצער דאָקטער עפֿנט אויף דאָס פֿענצטער און **בייזערט** זיך אויף מײַן ברודער אליה, פֿאַר וואָס מע האַלט דאָס פֿענצטער פֿאַרמאַכט.

– איך האָב אײַך טויזנט מאָל געזאָגט, אַז אַ פֿענצטער האָט ליב, אַז מע האַלט אים אָפֿן!

מײַן ברודער אליה ווינקט אויף דער מאַמען, אַז זי לאָזט נישט עפֿענען קיין פֿענצטער, האָט מורא פֿאַרן טאַטן, ער זאָל זיך חלילה נישט פֿאַרקילן. די מאַמע ווינקט צום דאָקטער, ער זאָל שוין באַטראַכטן גיכער דעם קראַנקן און זאָל אים עפּעס פֿאַרשרײַבן. דער שוואַרצער דאָקטער נעמט אַרויס דעם זייגער, אַ גרויסן גאָלדענעם זייגער. מײַן ברודער אליה קוקט מיט ביידע אויגן אויף דעם דאָקטערס זייגער. דער דאָקטער זעט דאָס.

– איר ווילט וויסן, ווו האַלט דער זייגער? האַלב עלף. וויפֿל איז בײַ אײַך?

דער שוואַרצער דאָקטער

– מײַן זייגער שטייט, – ענטפֿערט אים מײַן ברודער אליה און ווערט מאָדנע רויט.

די מאַמע רוט נישט. זי וויל מע זאָל שוין באַטראַכטן דעם קראַנקן און אים עפּעס פֿאַרשרײַבן... דער דאָקטער האָט אָבער צײַט. ער פֿרעגט בײַ דער מאַמען זײַטיקע זאַכן: ווען איז מײַן ברודערס חתונה? און וואָס זאָגט הערש־בער דער חזן אויף מײַן שטים? די מאַמע עקט זיך! מיט אַ מאָל נעמט דער דאָקטער אָן דעם טאַטן בײַ דער טרוקענער הייסער האַנט:

– נו, חזן, ווי אַזוי דאַוונט מען עפּעס בײַ אונדז הײַנטיקן שבֿועות?

– אַ דאַנק גאָט! – ענטפֿערט אים דער טאַטע מיט אַ שמייכל פֿון אַ טויטן.

– ווייניקער געהוסט? גוט געשלאָפֿן? – פֿרעגט אים דער דאָקטער.

– ניין! – ענטפֿערט אים דער טאַטע, – הוסטן הוסט מען...

און שלאָפֿן שלאָפֿט מען דווקא נישט... נאָר דאַנקען גאָט... ס׳איז שבֿועות... אַזאַ טאָג... מקבל געווען די תּורה... און אַ גאַסט... אַ גאַסט אויף שבֿועות...

אַלעמענס אויגן קוקן אויפֿן „גאַסט” און דער „גאַסט” קוקט אַראָפּ אויף דער ערד און דער קאָפּ איז אים אין דרויסן, ערגעץ ביים שכנס קעלבל, ביים טייַכל וואָס רוישט דאָרטן באַרג־אַראָפּ, אָדער גאָר אין דער הויכער, ברייטער, טיפֿער, בלויער יאַרמלקע, וואָס מע רופֿט דאָס הימל...

באַגעגנט (באַגעגענען)	meets; greets
דעם גוטן־ברודער ← דער גוטער־ברודער	comrade, friend (*lit.* “good brother”)
ווינקט (ווינקען)	winks, gives a signal
בייזערט זיך (בייזערן זיך) (אויף)	is angry (with), scolds
חלילה [כאָלילע]	God forbid
זיך פֿאַרקילן (פֿאַרקילן זיך)	catch cold
פֿאַרשרייַבן	prescribe
ווו האַלט דער זייגער?	What time is it? (*lit.* “Where is the clock holding?”)
האַלב עלף	ten thirty
מייַן זייגער שטייט	my watch has stopped (*lit.* “my watch stands”)
זייַטיק־ע	side, irrelevant, extraneous
די שטים	voice
עקט זיך (עקן זיך)	is extremely impatient
טרוקענער (טרוקן)	dry
עפּעס	then *(in questions)*
דווקא [דאַפֿקע]	necessarily; exactly
מקבל [מעקאַבל] געווען (מקבל זייַן)	received
רוישט (רוישן)	makes noise; murmurs

געניטונגען

I. שטעלט די זאַצן אין דעם ריכטיקן סדר.

א) דער דאָקטער בייזערט זיך אויף אליהן, פֿאַר וואָס ער האַלט דאָס פֿענצטער פֿאַרמאַכט.

ב) דער דאָקטער זאָגט צום טאַטן: – גאָט ליב אײַך מיט אײַער גאַסט.

ג) דער „גאַסט" קוקט אַראָפּ אויף דער ערד און דער קאָפּ איז אים אין דרויסן, ערגעץ בײַם שכנס קעלבל.

ד) די מאַמע ווינקט צום דאָקטער. ער זאָל גיכער באַטראַכטן דעם קראַנקן און אים עפּעס פֿאַרשרײַבן.

ה) דער שוואַרצער דאָקטער באַגעגנט מאָטלען ווי אַן אַלטן גוטן־ברודער.

ו) דער דאָקטער פֿרעגט בײַ דער מאַמען זײַטיקע פֿראַגעס וועגן אליהס חתונה און וועגן הערש־בער דעם חזן.

ז) אליה ענטפֿערט נישט ווען דער דאָקטער פֿרעגט: „ווו האַלט דער זייגער".
ער ווערט מאָדנע רויט.

ח) דער טאַטע זאָגט, אַז ער הוסט און שלאָפֿט נישט גוט אָבער ס'איז דאָ אַ גאַסט אויף שבֿועות.

ט) דער דאָקטער נעמט אַרויס אַ גרויסן, גאָלדענעם זייגער.

י) דער דאָקטער נעמט אָן דעם טאַטן בײַ דער טרוקענער הייסער האַנט און פֿרעגט אים וועגן דאַוועגען און צי ער הוסט איצט ווייניקער.

מיר איז גוט – איך בין אַ יתום!

קאַפּיטל 2

מיר איז גוט – איך בין אַ יתום!

א

איך געדענק נישט ווען איך בין געווען אַזאַ מיוחס ווי איצט. מײַן טאַטע, פּייסע דער חזן, ווייסט איר דאָך, איז געשטאָרבן דעם ערשטן טאָג שבֿועות, און איך בין געבליבן אַ יתום.

פֿון דעם ערשטן טאָג נאָך שבֿועות האָבן מיר אָנגעהויבן זאָגן קדיש – איך און מײַן ברודער אליה. ער טאַקע האָט מיך אויסגעלערנט זאָגן קדיש.

– יִתְגַּדַּל וְיִתְקַדַּשׁ שְׁמֵהּ רַבָּא... ער וויל אַז איך זאָל שוין קענען אויסנווייניק. ער חזרט איבער מיט מיר נאָך אַ מאָל און נאָך אַ מאָל, פֿון אָנהייב ביזן סוף. איך זאָג אַליין אָבער עס גייט נישט.

דערלאַנגט ער מיר מיטן עלנבויגן און זאָגט מיר, אַז דער קאָפּ איז מיר אַ פּנים, ערגעץ אין דרויסן, אָדער ערגעץ בײַם קעלבל. ער נעמט מיך אָן פֿאַרן אויער און זאָגט, אַז דער טאַטע זאָל אויפֿשטיין און זען, וואָס פֿאַר אַ זון ער האָט!

– וואָלט איך נישט געדאַרפֿט זאָגן קדיש...

אַזוי זאָג איך צו מײַן ברודער אליה און כאַפּ פֿון אים אַ געשמאַקן פּאַטש מיט דער לינקער האַנט אין דער רעכטער באַק אַרײַן. דערהערט די מאַמע.

– גאָט איז מיט דיר! וואָס טוסטו? ווּעמען שלאָגסטו? האָסט אַ פּנים פֿאַרגעסן, אַז דאָס קינד איז אַ יתום?!

שלאָפֿן, שלאָף איך מיט דער מאַמען אינעם טאַטנס בעט, דאָס איינציקע שטיקל מעבל אין שטוב.

– דעק זיך אײַן, זאָגט זי צו מיר, און ווער אַנטשלאָפֿן, מײַן טײַערער יתום. עסן איז נישטאָ וואָס...

... און כאַפּ פֿון מײַן ברודער אַ געשמאַקן פּאַטש
מיט דער לינקער האַנט אין דער רעכטער באַק אַרײַן.

דעקן דעק איך מיך אײַן, אָבער שלאָפֿן, שלאָף איך נישט. איך חזר מיר דעם קדיש, אויף אויסנווייניק. אין חדר גיי איך נישט, לערנען לערן איך נישט, דאַוונען דאַוון איך נישט, זינגען זינג איך נישט. פּטור פֿון אַלצדינג.

מיר איז גוט – איך בין אַ יתום.

דער מיוחס [מעיוּכעס]	privileged character; person from a respected family
געשטאָרבן (שטאַרבן)	died
געבליבן (בלײַבן)	remained; ended up (as)
דער יתום [יאָסעם]	orphan
טאַקע	indeed
יתגדל ויתקדש שמה רבא [ייִסגאַדאַל וועיִסקאַדעש שמיי ראַבע]	"Magnified and sanctified be His name," *first words of kaddish, prayer for the dead*
אויסנווייניק (= פֿון/אויף אויסנווייניק)	by heart
חזרט [כאַזערט] איבער (איבערחזרן [איבערכאַזערן])	repeats, says over and over

דערלאַנגט (דערלאַנגען)	gives him a smack
דער עלנבויגן	elbow
געשמאַק־ן	sound, with gusto (*lit.* “tasty, delicious”)
דערהערט (דערהערן)	hears, gets wind of
גאָט איז מיט דיר!	What's wrong with you?! (*lit.* “God is with you”)
דאָס מעבל	furniture
דעק זיך איַין (אײַנדעקן זיך)	cover; tuck yourself in
פּטור [פּאָטער] (פֿון)	exempt (from), free (of)

געניטונגען

I. ענטפֿערט אויף יעדער פֿראַגע אין אַ פֿולן זאַץ.

1. ווען איז פּייסע דער חזן געשטאָרבן?
2. ווען האָבן מאָטל און אליה אָנגעהויבן זאָגן קדיש?
3. ווער האָט מאָטלען אויסגעלערנט זאָגן קדיש?
4. פֿאַר וואָס חזרט אליה איבער דעם קדיש מיט מאָטלען נאָך אַ מאָל און נאָך אַ מאָל?
5. וואָס טוט אליה ווען מאָטל קען ניט זאָגן דעם קדיש אויסנווייניק?
6. ווו, זאָגט אליה, איז דער קאָפּ בײַ מאָטלען?
7. פֿאַר וואָס כאַפּט מאָטל פֿון אליהן אַ געשמאַקן פּאַטש מיט דער לינקער האַנט אין דער רעכטער באַק?
8. פֿאַר וואָס, לויט (according to) דער מאַמען, טאָר אליה נישט שלאָגן מאָטלען?
9. מיט וועמען שלאָפֿט מאָטל און פֿאַר וואָס?
10. וואָס זאָגט די מאַמע מאָטלען, אַז ער זאָל טאָן?
11. פֿון וואָס איז מאָטל פּטור? (4 זאַכן)
12. פֿאַר וואָס זאָגט מאָטל, אַז ס'איז אים גוט צו זײַן אַ יתום?

אַ גאַנצן טאָג בין איך בײַם טײַך –
אָדער איך כאַפּ פֿיש, אָדער איך באָד זיך.

ב

מזל־טובֿ! איך קען שוין גאַנץ קדיש אויף אויסנווייניק. אין שול שטיי איך אויף אַ באַנק און זאָג דעם קדיש. אַ קול האָב איך אויך, פֿון מײַן טאַטן, אַן אמתע סאָפּראַנאָ. אַלע ייִנגלעך שטעלן זיך אויס אַרום מיר און **זענען מיר מקנא**. ווײַבער וויינען. הענעך מיטן **אייגל** שטעלט מיר אַרויס אַ צונג. ער וויל איך זאָל לאַכן. אים **אויף צו להכעיס** וועל איך נישט לאַכן! האָט דערזען אַהרן דער **שמש**, האָט ער אים גענומען פֿאַרן אויער און האָט אים צוגעפֿירט צו דער טיר.

אַזוי ווי איך זאָג קדיש אין דער פֿרי און אויף דער נאַכט, גיי איך שוין מער נישט צו הערש־בער דעם חזן. איך בין פֿרײַ. אַ גאַנצן טאָג בין איך בײַם טײַך – אָדער איך כאַפּ פֿיש, אָדער איך **באָד** זיך. **פֿון וואַנען** האָט זיך **דערוווּסט** מײַן ברודער אליה, אַז איך כאַפּ פֿיש – ווייס איך נישט. ער האָט מיר **שיִער נישט אָפּגעריסן** אַן אויער פֿאַר די פֿיש. אַ גליק וואָס פעסיע די גראָבע, אונדזער שכנה, האָט דערזען.

– אָט אַזוי שלאָגט מען אַ יתום? – מײַן ברודער אליה האָט זיך **פֿאַרשעמט** און האָט מיר **אָפּגעלאָזט** דעם אויער. אַלע **שטעלן זיך אײַן** פֿאַר מיר.

מיר איז גוט – איך בין אַ יתום.

זענען (מיר) מקנא [מעקאַנע]	envious, jealous (of me)
דאָס אייגל ◆ ← דאָס אויג	little eye
אויף צו להכעיס [צעלאָכעס]	to spite, to make angry
דער שמש [שאַמעס]	sexton in a synagogue
באָד זיך (באָדן זיך)	swim, bathe
פֿון וואַנען	from where
זיך דערוווּסט (דערוויסן זיך)	found out
שיִער נישט	almost
אָפּגעריסן (אָפּרײַסן)	tore off
זיך פֿאַרשעמט (פֿאַרשעמען זיך)	became embarrassed/ashamed
אָפּגעלאָזט (אָפּלאָזן)	let go
שטעלן זיך אײַן (אײַנשטעלן זיך) פֿאַר	defend, stand up for

גענימונגען

I. קלײַבט אויס דאָס ריכטיקע וואָרט פֿון אונטן צו ענדיקן דעם זאַץ. די ווערטער מעג מען ניצן איין מאָל, מער מאָל, אָדער אין גאַנצן נישט.

1. מאָטל קען שוין גאַנץ ______________ אויף אויסנווייניק.
2. מאָטל שטייט אויף אַ ______________ און זאָגט דעם קדיש אויף אויסנווייניק.
3. מאָטל האָט, פֿון זײַן טאַטן, אַן אמת סאָפּראַנאָ־______________.
4. די ייִנגלעך זײַנען מאָטלען ______________.
5. ווײַבער ______________ ווען מאָטל זאָגט קדיש.
6. הענעך מיטן אייגל שטעלט אים אַרויס אַ ______________. ער וויל מאָטל זאָל ______________.
7. מאָטל גייט שוין מער נישט צו הערש־בער דעם חזן, ווײַל ער זאָגט ______________ אין דער פֿרי און אויף דער ______________.
8. אַ גאַנצן ______________ איז מאָטל בײַם ______________.
9. מאָטל ווייסט נישט פֿון וואַנען אליה האָט זיך דערוווּסט, אַז ער כאַפּט ______________.
10. אליה האָט מאָטלען שיִער נישט ______________ אַן אויער פֿאַר די פֿיש.
11. ווען פּעסיע האָט דערזען ווי אליה שלאָגט מאָטלען האָט ער ______________ דעם אויער.
12. אַלע שטעלן זיך אײַן פֿאַר מאָטלען, ווײַל ער איז אַ ______________.

קול	טאָג	לאַכן	פֿיש
אָפּגעריסן	באַנק	יתום	אָפּגעקאָכט
צונג	מקנא	טיש	קדיש
וויינען	באַק	נאַכט	טײַך

ג

אונדזער שכנה פּעסיע די גראָבע האָט זיך אין מיר **פֿאַרליבט**. זי האָט זיך **צוגעטשעפּעט** צו דער מאַמען איך זאָל זײַן **דערווײַל** בײַ איר, בײַ פּעסיען, הייסט עס.

די מאַמע

– וואָס וועט אײַך **אַרן**? – האָט זי געפֿרעגט – עס גייען בײַ מיר צום טיש צוועלף, וועט ער זײַן אַ דרײַצנטער.

– ווער וועט אויף אים **אַכטונג** געבן, ער זאָל גיין זאָגן קדיש? – האָט געפֿרעגט מײַן ברודער אליה.

– איך וועל אַכטונג געבן, ער זאָל גיין זאָגן קדיש. נו, שוין?

די מאַמע **האַלט** זיך **אַן עצה** מיט מײַן ברודער אליה.

– ווי מיינסטו? זאָל ער זײַן **דערווײַל** בײַ פּעסיען?

מײַן ברודער רעדט ווי אַ גרויסער און זאָגט: – גוט, **אַבי** ער זאָל נאָר נישט זײַן קיין **שייגעץ**.

און **עס בלײַבט**, **אַז** איך וועל זײַן דערווײַל בײַ אונדזער שכנה פּעסיע, און אַז איך זאָל נישט זײַן קיין שייגעץ. **אַלצדינג** הייסט בײַ זיי אַ שייגעץ! **אָנהעגנגען** דער קאַץ אַ **פּאַפּיר** אויפֿן **עק**, זי זאָל זיך דרייען – הייסט בײַ זיי אַ שייגעץ. מאַכן אַז בײַ לייבקען דעם **וואַסער־פֿירער** זאָל אויסלויפֿן העכער האַלב וואַסער פֿון **פֿאַס** – הייסט בײַ זיי אַ שייגעץ!

– דײַן **גליק** וואָס דו ביסט אַ יתום! – זאָגט צו מיר לייבקע דער וואַסער־פֿירער – **אַנישט**, וואָלט איך דיר **איבערגעבראָכן** אַ האַנט מיט אַ פֿוס! מעגסט מיר גלייבן.

איך גלייב אים. איך ווייס, אַז איצט וועט ער מיך נישט אָנרירן, ווײַל איך בין אַ יתום.
מיר איז גוט – איך בין אַ יתום.

זיך פֿאַרליבט (פֿאַרליבן זיך) (אין)	fell in love (with)
זיך צוגעטשעפּעט (צוטשעפּען זיך) (צו)	attached herself (to); *i.e.*, pestered
דערווײַל	meanwhile
אַרן	bother, concern
אַכטונג געבן (אויף)	look after; see to it that
האַלט זיך אַן עצה (זיך האַלטן אַן עצה) מיט	consults with
די עצה [אײצע]	(piece of) advice
אַבי	as long as, provided that
דער שייגעץ	non-Jewish boy; smart aleck; a naughty boy
עס בלײַבט	the conclusion was (*lit.* "it remains that/ends up that")
אָנהענגען	make hang; tie on, attach
דער עק	tail
דער וואַסער־פֿירער	water carrier
די/דאָס פֿאַס	barrel
דאָס גליק	good fortune/luck
אַנישט	otherwise; or else, if not
וואָלט איבערגעבראָכן (איבערברעכן)	would break in half
אָנרירן	touch, lay hands on

„װער װעט אױף אים אַכטונג געבן, ער זאָל גײן
זאָגן קדיש?" האָט געפֿרעגט מײַן ברודער אליה.

געניטונגען

I. פֿאָרט צונויף דעם טוער מיט די טוונגען. שטעלט די ריכטיקע ציפֿערן לעבן דעם טוער. שרײַבט איבער דעם זאַץ אָדער לייענט אים איבער אויף אַ קול.

1. האָט זיך פֿאַרליבט אין מאָטלען.	פּעסיע די גראָבע
2. זאָגט, אַז מאָטל זאָל נישט זײַן קיין שייגעץ.	
3. פֿרעגט, ווער וועט אַכטונג געבן אויף מאָטלען, ער זאָל זאָגן קדיש.	
4. וועט אַכטונג געבן אויף מאָטלען, ער זאָל זאָגן קדיש.	מאָטלס ברודער אליה
5. וועט דערווײַל זײַן בײַ פּעסיען.	
6. האָט פֿאַרלאָרן אַ סך וואַסער פֿון זײַן פֿאַס.	
7. האַלט זיך אַן עצה מיט אליהון וועגן דעם, צי מאָטל זאָל גיין צו פּעסיען.	די מאַמע
8. האָט אָנגעהאָנגען דער קאַץ אַ פּאַפּיר אויפֿן עק, זי זאָל זיך דרייען.	
9. ווייסט, אַז לייבקע וועט אים נישט אָנרירן, ווײַל ער איז אַ יתום.	מאָטל
10. האָט צוועלף מענטשן וואָס גייען בײַ איר צום טיש.	
11. האָט זיך צוגעשפּעטיגט צו דער מאַמען, אַז מאָטל זאָל זײַן בײַ איר.	לייבקע דער וואַסער־פֿירער
12. זאָגט, ווען מאָטל איז נישט קיין יתום וואָלט ער אים איבערגעבראָכן אַ האַנט מיט אַ פֿוס.	

ד

אונדזער שכנה פעסיע, האָט געזאָגט אַ גרויסן ליגן. צוועלף, האָט זי געזאָגט, גייען בײַ איר צום טיש. לויט מיר, בין איך דער פֿערצנטער. קען זײַן זי האָט פֿאַרגעסן דעם בלינדן פֿעטער **ברוך** ווײַל ער איז שוין זייער אַלט און האָט קיין ציין נישט אויף צו קײַען. קײַען קען ער נישט, דערפֿאַר אָבער שלינגט ער ווי אַ **גאַנדז** און **כאַפּט**. אַלע כאַפּן זיי. איך כאַפּ אויך. שלאָגן זיי מיך. מיט די פּיס אונטערן טיש שלאָגן זיי מיך. מער פֿון אַלע שלאָגט מיך **ושתּי**. הייסן, הייסט ער הערשל נאָר מען האָט אים אַ נאָמען געגעבן ושתּי, ווײַל ער האָט אַ גוליע אויפֿן שטערן. אַלע האָבן זיי דאָ נעמען און **צונעמען**: „קלעצל", „קאָטער", „טשערנאָהוז", „**בופֿלאָקס**", „**פּעטעלעלע**", „גיב־מיר־נאָך"...

אונדזער שכנה פעסיע

פּיניע הייסט „קלעצל" דערפֿאַר, ווײַל ער איז גראָב און קײַלעכיק, ווי אַ קלעצל. וועלוול איז אַ שוואַרצער, רופֿט מען אים „קאָטער". **חיים** איז אַ בופֿלאָקס, הייסט ער „בופֿלאָקס". מענדל האָט אַ **שפּיציקע** נאָז, איז ער אַ „טשערנאָהוז". מע האָט פּײַטלען אַ נאָמען געגעבן „פּעטעלעלע" דערפֿאַר, ווײַל ער קען נישט גוט רעדן. בערל איז אַ גרויסער **נאַשער** – אַז מע גיט אים אַ שטיקל ברויט מיט **שמאַלץ**, זאָגט ער: „גיב־מיר־נאָך".

קורץ, ס'איז אַ שטוב, וואָס יעדער האָט אַ צונאָמען. אַפֿילו די קאַץ האָט אַ צונאָמען. זי הייסט בײַ זיי „פֿייגע־לאה די **גבאיטע**". איר ווייסט פֿאַר וואָס? ווײַל זי איז אַ גראָבע, און פֿייגע־לאה, נחמן

דעם **גבאים** ווײַב, איז אויך אַ גראָבע. ווײפּל, מיינט איר, האָבן זיי שוין **געכאַפּט פּעטש** דערפֿאַר, זיי זאָלן נישט רופֿן קיין קאַץ מיט אַ מענטשלעכן נאָמען? אָבער אויב זיי האָבן געגעבן עמעצן אַ צונאָמען, איז **פֿאַרפֿאַלן!**

lie	דער ליגן
according to	לויט
male name	ברוך [באָרעך]
chew	קײַען
swallows	שלינגט (שלינגען)
goose	די גאַנדז
grabs; catches	כאַפּט (כאַפּן)
female name; character in the Book of Esther who had a growth or bump on her forehead	ושתּי [וואַשטע]
growth; bump	די גוליע
forehead	דער שטערן
nicknames	די צונעמען (דער צונאָמען)
little (wood) block	דאָס קלעצל ♦ ← (דער קלאָץ)
tomcat	דער קאָטער
stork	דער טשערנאָהוז
buffalo	דער בופּלאָקס
circular, round	קײַלעכיק
male name	חיים [כאַיִם]
pointed	שפּיציק־ע
person with a sweet tooth	דער נאַשער
animal fat (as food)	די/דאָס שמאַלץ
female name	לאה [לייע]
wife of trustee (of a synagogue)	די גבאיטע [גאַבעטע]
the trustee's (of a synagogue)	דעם גבאים [גאַבעס] ← דער גבאי [גאַבע]

מענטשלעכ־ן	human
פֿאַרפֿאַלן	no use! hopeless
געכאַפּט פּעטש (כאַפּן פּעטש)	got slapped/smacked (*lit.* "caught slaps")
די פּעטש (דער פּאַטש)	slaps, smacks

געניטונגען

I. פֿאַר יעדן זאַץ, שרײַבט צי ער איז ריכטיק אָדער נישט־ריכטיק. אויב אַ זאַץ איז נישט־ריכטיק, שרײַבט אים איבער און בעסערט אים אויס.

1. בײַ פּעסיען גייען צום טיש אַלע מאָל פֿערצן מענטשן.
2. זי האָט פֿאַרגעסן דעם בלינדן פֿעטער ברוך, ווײַל ער האָט קיין צײַן נישט אויף צו קײַען.
3. מאָטל שלינגט ווי אַ גאַנדז און כאַפּט.
4. ווען מאָטל כאַפּט, שלאָגט מען אים מיט די פּיס אונטערן טיש.
5. מע האָט הערשלען אַ נאָמען געגעבן ושתּי, ווײַל ער האָט אַ גוליע אויפֿן שטערן.
6. וועלוול איז אַ בלאָנדער, רופֿט מען אים „קאָטער".
7. מענדל האָט אַ שפּיציקע נאָז, רופֿט מען אים „טשערנאָהוז".
8. מע האָט בערלען אַ נאָמען געגעבן „פּעטעלעלע", ווײַל ער קען נישט גוט רעדן.
9. אין דער שטוב האָט אַפֿילו די קאַץ אַ צונאָמען.
10. די קאַץ הייסט „נחמן דער גבאי", ווײַל זי איז אַ גראָבע ווי נחמן.
11. פּעסיעס קינדער האָבן געקראָגן פּעטש דערפֿאַר, ווײַל זיי האָבן גערופֿן אַ קאַץ מיט אַ מענטשלעכן נאָמען.
12. די קינדער זײַנען געפֿאַלן ווען זיי האָבן געזאָגט די צונעמען.

ה

מיר האָבן זיי אַ נאָמען געגעבן – טרעפּט ווי אַזוי? „מאָטל מיט די לעפּצן״... דאָס הייסט „ליפּן״. אַ פּנים, זיי איז נישט געפֿעלן מייַנע ליפּן. זיי זאָגן, אַז איך עס, מאַך איך מיט די ליפּן. מיר איז דער צונאָמען שטאַרק נישט געפֿעלן! און ווייַל ס׳איז מיר נישט געפֿעלן, רייצן זיי זיך מיט מיר און רופֿן מיך דווקא אַזוי.

פֿריִער האָב איך בייַ זיי געהייסן: „מאָטל מיט די לעפּצן״.

נאָך דעם: „מיט די לעפּצן״.

שפּעטער: „די לעפּצן״.

גאָר שפּעטער: „לעפּצן״.

– לעפּצן! ווּ זענט איר געווען?

– לעפּצן! ווישט אָפּ די נאָז!

עס פֿאַרדריסט מיך און עס ברענט מיך און איך וויין. דערזעט פּעסיעס מאַן, משה דער אייַנבינדער, איין מאָל, אַז איך וויין, פֿרעגט ער מיך, וואָס וויין איך? זאָג איך אים, ווי אַזוי זאָל איך נישט וויינען, אַז איך הייס מאָטל און מע רופֿט מיך „לעפּצן״! פֿרעגט ער: „ווער?״, זאָג איך: „ושתּי״. ווייל ער שלאָגן ושתּין, זאָגט ושתּי: „ס׳איז נישט איך, ס׳איז קלעצל״. ווייל ער שלאָגן קלעצלען, זאָגט קלעצל: ״ס׳איז נישט איך, ס׳איז קאָטער״.

איינער אויפֿן אַנדערן, דער אַנדערער אויפֿן דריטן – אַ מעשׂה אָן אַן עק! שמייַסט ער זיי אַלע אָפּ מיט אַ טאָוול פֿון אַ סידור און זאָגט זיי:

– איך וועל אייַך ווייַזן, ווי אַזוי צו לצעווען פֿון אַ יתום!

אָט אַזוי. אַלע, אַלע שטעלן זיך אייַן פֿאַר מיר.

מיר איז גוט – איך בין אַ יתום...

guess	טרעפֿט (טרעפֿן)
lips *literary*	די לעפֿצן
tease	רייצן זיך מיט
in spite of that; deliberately	דווקא [דאַפֿקע]
before, earlier; at first	פֿריִער
after that	נאָך דעם
later	שפּעטער
even later	גאָר שפּעטער
wipe *perf. (formal used for comic effect)*	ווישט אָפּ (אָפּווישן)
upsets me, annoys me	פֿאַרדריסט מיך (פֿאַרדריסן)
male name	משה [מוישע]
bookbinder	דער אײַנבינדער
end	דער עק
whips, spanks	שמײַסט אָפּ (אָפּשמײַסן)
book cover	דער טאָוול
scoff at, tease	לצעווען [לעצעווען] פֿון

געניטונגען

I. קלײַבט אויס דעם פּאַסיקן טייל אויף צו מאַכן אַ ריכטיקן זאַץ. עס קענען זײַן עטלעכע מעגלעכקייטן. דערשרײַבט דעם זאַץ אָדער לייענט אים אויף אַ קול.

1. א) אליה און די מאַמע
ב) פּעסיעס קינדער
ג) משה דער אײַנבינדער
האָבן מאָטלען אַ נאָמען געגעבן „מאָטל מיט די לעפֿצן".

2. זיי רופֿן אים אַזוי, ווײַל
א) זיי איז נישט געפֿעלן זײַנע ליפּן.
ב) זיי איז יאָ געפֿעלן זײַנע ליפּן.
ג) זיי זאָגן, ווען ער עסט מאַכט ער מיט די ליפּן.

3. א) עס פֿאַרדריסט מאָטלען
ב) עס געפֿעלט מאָטלען
ג) עס מאַכט מאָטלען לאַכן
וואָס מע רופֿט אים לעפּצן.

4. מאָטל זאָגט משהן, אַז ער וויינט, ווײַל
א) משהס קינדער רייצן זיך מיט אים.
ב) ער הייסט מאָטל און מע רופֿט אים לעפּצן.
ג) ושתּי שלאָגט אים.

5. משה וויל שלאָגן ושתּין, ווײַל
א) ושתּי שלאָגט קלעצלען.
ב) ושתּי שלאָגט דעם קאָטער.
ג) מאָטל זאָגט, אַז ושתּי רופֿט אים לעפּצן.

6. משה שמײַסט אָפּ
א) נאָר די קינדער וואָס רייצן זיך מיט מאָטלען.
ב) אַלע זײַנע קינדער.
ג) די קינדער מיט אַ טאָוול פֿון אַ סידור.

7. משה זאָגט, אַז
א) ער דאַרף די קינדער לערנען, ווי צו לצעווען פֿון אַ יתום.
ב) די קינדער טאָרן נישט לצעווען פֿון אַ יתום.
ג) מאָטל האָט מזל, ווײַל ער איז אַ יתום.

אַז מען שטעלט אַרויס אַ פֿוס פֿונעם קליינעם פֿענצטערל,
איז מען שוין בײַ מענדל דעם שוחטס אויפֿן דאַך.

קאַפּיטל 3

וואָס וועט זײַן פֿון מיר?

א

אנו, טרעפֿט, ווו איז דער גן־עדן? איר וועט נישט טרעפֿן. ווייסט איר פֿאַר וואָס? ווײַל בײַ יעדן איינעם איז ער אויף אַן אַנדער אָרט. **למשל**, די מאַמע זאָגט, אַז דער גן־עדן איז דאָרטן, ווו מײַן טאַטע, פּייסע דער חזן, געפֿינט זיך. דאָרטן, זאָגט זי, געפֿינען זיך אַלע גוטע **נשמות**. **דערפֿאַר וואָס** זיי **האָבן נעבעך**, נישט די וועלט, קומט זיי **יענע וועלט**. דאָס איז דאָך קלאָר ווי דער טאָג. דער בעסטער **משל** איז טאַקע דער טאַטע מײַנער ווײַל ווו זאָל ער זײַן אַז נישט אין גן־עדן? אַזוי זאָגט די מאַמע מײַנע און ווישט זיך די אויגן.

פֿרעגט אָבער בײַ מײַנע **חבֿרים**, וועלן זיי אײַך דערציילן מעשׂיות, אַז דער גן־עדן געפֿינט זיך **ערגעץ** אויף אַ **באַרג** פֿון קרישטאָל, הויך אין הימל. ייִנגלעך לויפֿן דאָרט אַרום, לערנען לערנט מען נישט, נאָר מע באָדט זיך גאַנצע טעג אין מילך און מע עסט האָניק. אונדזער שכנהס מאַן, משה דער אײַנבינדער, זאָגט אַז דער **אמתער** גן־עדן איז גאָר פֿרײַטיק אין **באָד**. **פֿרעגט** מיך, וועל איך זאָגן אַז דער גן־עדן – דאָס איז **מנשה** דעם **רופֿאס** גאָרטן.

זינט איר לעבט, האָט איר נאָך אַזאַ גאָרטן נישט געזען. נישט נאָר אויף אונדזער גאַס, נישט נאָר בײַ אונדז אין שטאָט, נאָר אויף דער גאַנצער וועלט איז נישטאָ נאָך אַזאַ גאָרטן. וואָס ווילט איר, זאָל איך אײַך **באַשרײַבן** פֿריִער: מנשה דעם רופֿא מיט זײַן ווײַב **מנשהכע** די **רופֿאטע**? צי איך זאָל אײַך באַשרײַבן פֿריִער

דעם גן־עדן, מיין איך, דעם גאָרטן. איך מיין אַז פֿריִער פֿון אַלץ זאָל איך אײַך דערציילן פֿון מנשהן מיט מנשהכען.

וואָס וועט זײַן פֿון מיר?	What will become of me?
טרעפֿט (טרעפֿן)	guess
דער גן־עדן [גאַניידן]	Garden of Eden, paradise
למשל [לעמאָשל]	for example
די נשמות [נעשאָמעס] (די נשמה) [נעשאָמע]	souls
דערפֿאַר וואָס	because
נעבעך	poor, unfortunate, poor thing(s)
יענע וועלט	that world, referring to the other world, *i.e.,* the hereafter
דער משל [מאָשל]	example
די חברים [כאַווײרים] (דער חבֿר) [כאַווער]	friends
ערגעץ	somewhere
דער באַרג	mountain, hill
אמת־ער [עמעס־ער]	real, true
די באָד	communal bathhouse
מנשה [מענאַשע]	male name
דעם רופֿאס [רויפֿעס] ← דער רופֿא [רויפֿע]	old-style physician's, one not formally trained as a doctor
באַשרײַבן	describe
מנשהכע [מענאַשעכע]	Mrs. Menashe, not really her name
די רופֿאטע [רויפֿעטע]	wife of the *royfe* (old-style physician)
דערציילן	tell (a story), narrate

געניטונגען

I. ענטפֿערט אויף יעדער פֿראַגע אין אַ פֿולן זאַץ.

1. מיינט מאָטל, אַז מיר וועלן נישט טרעפֿן ווּ דער גן־עדן איז?
2. איז דער גן־עדן אויפֿן זעלבן אָרט בײַ יעדן איינעם?
3. ווּ, לויט דער מאַמען, איז דער גן־עדן?
4. פֿאַר וואָס קומט די גוטע נשמות יענע וועלט?
5. לויט וועמען געפֿינט זיך דער גן־עדן ערגעץ אויף אַ באַרג פֿון קרישטאָל, הויך אין הימל?
6. וואָס טוען די ייִנגלעך דאָרטן?
7. ווּ, זאָגט משה דער אײַנבינדער, איז דער גן־עדן?
8. בײַ וועמען איז דער גן־עדן מנשה דעם רופֿאס גאָרטן?
9. לויט מאָטלען איז דאָ נאָך אַזאַ גאָרטן אויף דער גאַנצער וועלט?
10. וואָס וועט מאָטל פֿריִער באַשרײַבן: דעם גאָרטן אָדער מנשהן מיט מנשהכען?

II. ווּ, מיינסטו, געפֿינט זיך דער גן־עדן?

ב

מנשה דער רופֿא טראָגט סײַ ווינטער סײַ זומער אַ **הענג־קאָלנער**. איין אויג האָט ער אַ קליינס, און דאָס מויל איז אים, מיין איך, אַ ביסל אויף אַ זײַט. דאָס הייסט, נישט אַ ביסל נאָר אַ סך, טאַקע זייער אַ סך. דאָס איז אים פֿון אַ ווינטל געקומען. אַזוי זאָגט מנשה דער רופֿא אַליין. איך פֿאַרשטיי נישט, ווי אַזוי ווערט דאָס פֿון אַ ווינטל דאָס גאַנצע מויל אויף אַ זײַט.

איך רעכן, אַז ס׳איז נאָר אַ **רגילות**. אָט, למשל, איז דאָ בײַ מיר אַ חבֿר בערל, **פּינטלט** ער מיט די אויגן. איך האָב נאָך אַ חבֿר, וועלוול, **זופּט** ער לאָקשן מיט יויך ווען ער רעדט. אַלצדינג אויף דער וועלט איז אַ רגילות.

מנשה דער רופֿא

און כאָטש דאָס מויל איז אים אויף אַ זײַט, מאַכט מנשה בעסער פֿון אַלע **דאָקטוירים**. ערשטנס, איז ער בײַ זיך נישט אַזאַ **פּריץ** ווי אַנדערע דאָקטוירים. אַז מע רופֿט אים, קומט ער באַלד צו לויפֿן. און צווייטנס שרײַבט ער נישט קיין **רעצעפּטן**. רפֿואות מאַכט ער אַליין. ווען איך בין **לעצטנס** געווען קראַנק (אַ פּנים, פֿון צו פֿיל ליגן אין טײַך), איז די מאַמע באַלד אַוועקגעלאָפֿן און האָט אַראָפּגעבראַכט מנשה דעם רופֿא. האָט ער מיך באַטראַכט און אַ זאָג געטאָן דער מאַמען:

– **שרעקט אײַך נישט**, ס׳איז אַ געלעכטער, אַ קלייניקייט.

און מיט די ווערטער נעמט ער אַרויס פֿון קעשענע אַ בלוי פֿלעשעלע און **שיט אויס** אין זעקס שטיקלעך פּאַפּיר עפּעס אַ ווײַסע זאַך. דאָס הייסט „**פּראָשקעס**". ער הייסט מיר באַלד **אײַננעמען** איין פּראָשיק. דאָס האַרץ זאָגט מיר, אַז עס דאַרף זײַן ביטער ווי דער **טויט**. און אַזוי איז טאַקע געווען!

ער האָט **אָנגעזאָגט** דער מאַמען איך זאָל אײַננעמען די איבעריקע פֿינף פּראָשקעס, אַלע צוויי שעה אַ פּראָשיק. די מאַמע איז געגאַנגען אָנזאָגן מײַן ברודער אליהן אַז איך בין קראַנק, האָב איך דערווײַל אַלע פֿינף פּראָשקעס אויסגעשאָטן און **אָנגעשאָטן** אין די פּאַפּירלעך אַ ביסל **מעל**. די מאַמע האָט געהאַט אַ גוט שטיקל אַרבעט. אַלע צוויי שעה האָט זי געמוזט לויפֿן צו אונדזער

שכנה פּעסיען קוקן אויפֿן זייגער. נאָך יעדן פּראָשיק וואָס איך האָב אײַנגענומען, האָט זי געזען אַז עס ווערט מיר בעסער. נאָך דעם זעקסטן פּראָשיק בין איך אויפֿגעשטאַנען אַ געזונטער מענטש.

– **אָט דאָס הייסט אַ דאָקטער!** – האָט די מאַמע געזאָגט און נישט געלאָזט מיך גיין אין חדר, געהאַלטן אַ גאַנצן טאָג אין שטוב און געגעבן מיר זיסע טיי מיט ווײַסער **בולקע**.

– מנשה איז מער דאָקטער פֿון אַלע דאָקטוירים, זאָל אים גאָט געבן געזונט און אַ סך יאָרן! ער האָט אַזעלכע פּראָשקעס וואָס מאַכן פֿון **טויט** לעבעדיק...

אַזוי האָט זיך די מאַמע נאָך דעם **באַרימט** פֿאַר דער גאַנצער וועלט, און געווישט זיך, ווי אַלע מאָל, די אויגן.

דער הענגקאָלנער	cape
רעכן (רעכענען)	reckon, calculate
דאָס רגילות [רעגי́לעס]	habit
פּינטלט (פּי́נטלען)	blinks
זופּט (זופּן)	sips, slurps
די דאָקטוירים (דער דאָקטער)	doctors
דער פּריץ [פּאָרעץ]	lord; high-and-mighty
די רעצעפּטן (דער רעצעפּט)	prescriptions
לעצטנס	lately
שרעקט אײַך נישט (שרעקן זיך)	don't be afraid, don't get a fright
שיט אויס (אויסשיטן)	pours out (dry material)
די פּראָשקעס (דער פּראָשיק)	powders
אײַננעמען	take (medicine)
דער טויט	death
אָנגעזאָגט (אָנזאָגן)	informed; warned
אָנגעשאָטן (אָנשיטן)	poured, filled (with dry material)
די/דאָס מעל	flour
אָט דאָס הייסט...	now, that's what you call...

די בו́לקע	bread roll
מאַכן פֿון טױט לעבעדיק	make one come alive (from death)
זיך באַרי́מט (באַרי́מען זיך)	boasted, bragged

געניטונגען

I. קלײַבט אויס דעם פּאַסיקן טייל אויף צו מאַכן אַ ריכטיקן זאַץ. עס קענען זײַן עטלעכע מעגלעכקייטן. דערשרײַבט דעם זאַץ אָדער לייענט אים אויף אַ קול.

1. מנשה דער רופֿא
א) טראָגט נאָר ווינטער אַ הענגקאָלנער.
ב) האָט איין אויג אַ קליינס.
ג) האָט אַ מויל, וואָס איז בײַ אים אַ ביסל אויף אַ זײַט.

2. בײַ מנשהן איז דאָס מויל אויף אַ זײַט און
א) ער זאָגט, דאָס איז אים געקומען פֿון אַ ווינטל.
ב) מאָטל פֿאַרשטייט, ווי עס ווערט פֿון אַ ווינטל דאָס גאַנצע מויל אויף אַ זײַט.
ג) מאָטל רעכנט, ס'איז נאָר אַ רגילות.

3. בײַ מאָטלען איז דאָ
א) אַ חבֿר בערל, וואָס פֿינטלט מיט די אויגן.
ב) אַ חבֿר וועלוול, וואָס זופּט לאָקשן מיט יויך ווען ער עסט.
ג) אַ בוים אין מנשהס גאָרטן.

4. כאָטש דאָס מויל איז בײַ אים אויף אַ זײַט, מאַכט מנשה בעסער פֿון אַלע דאָקטוירים, ווײַל
א) ער איז אַ גרויסער פּריץ.
ב) אַז מע רופֿט אים, קומט ער באַלד צו לויפֿן.
ג) ער שרײַבט אַליין רעצעפּטן.
ד) ער מאַכט די רפֿואות אַליין.

5. לעצטנס ווען מאָטל איז געווען קראַנק
א) האָט די מאַמע געזאָגט, ער זאָל ליגן אין טײַך.
ב) האָט די מאַמע אַראָפּגעבראַכט מנשה דעם רופֿא.
ג) האָט מנשה באַטראַכט די מאַמע און געזאָגט, אַז ס׳איז אַ געלעכטער.

6. מנשה דער רופֿא
א) שיט אויס אין זעקס שטיקלעך פּאַפּיר אַ ווײַסע זאַך וואָס הייסט „פּראָשקעס”.
ב) הייסט מאָטלען אײַננעמען צוויי פּראָשקעס.
ג) גיט מאָטלען זייער ביטערע פּראָשקעס.

7. מאָטל
א) דאַרף נעמען אַלע צוויי שעה אַ פּראָשיק ביז וואַנען ער ענדיקט די פּראָשקעס.
ב) האָט אויסגעשאָטן אַלע פֿינף פּראָשקעס.
ג) האָט אָנגעשאָטן אין די פּאַפּירלעך אַ ביסל צוקער.
ד) האָט זייער ליב די פּראָשקעס.

8. די מאַמע
א) האָט אָנגעזאָגט אליהן, אַז מאָטל איז קראַנק.
ב) האָט געגומען בײַ דער שכנה פּעסיען אַ זייגער, זי זאָל וויסן ווען צו געבן מאָטלען דעם פּראָשיק.
ג) מיינט, אַז מנשה איז אַ גוטער דאָקטער.

9. די מאַמע
א) זאָגט, אַז מאָטל איז איצט געזונט און זאָל גיין אין חדר.
ב) האָט מאָטלען געגעבן זיסע טיי מיט ווײַסער בולקע.
ג) האָט זיך באַרימט, אַז מנשהס פּראָשקעס מאַכן פֿון טויט לעבעדיק.

ג

מנשה דעם רופֿאס ווײַב רופֿט מען אויף איר מאַנס נאָמען, „מנשהכע די רופֿאטע". זי איז אַ **רשעטע**. זי האָט אַ **מאַנצבילשן פּנים**, אַ קול פֿון אַ מאַנצביל, און טראָגט מאַנצבילשע **שטיוול**. זינט זי לעבט האָט נאָך קיין אָרעמאַן בײַ איר קיין שטיקל ברויט נישט אויפֿגעגעסן. און אַ שטוב איז בײַ איר פֿון אַל דאָס גוטס.

בײַ איר קענט איר געפֿינען **אײַנגעמאַכטסן** פֿון פֿאַר אַ יאָרן, פֿון פֿאַר דרײַ יאָרן און פֿון פֿאַר צען יאָרן. וואָס דאַרף זי אַזוי פֿיל אײַנגעמאַכטס? פֿרעגט זי, ווייסט זי אַליין נישט. אָט אַזאַ **טבֿע** איז בײַ איר.

מנשהכע די רופֿאטע

זי ווייסט, אַז עס קומט דער זומער, **האַלט זי אין איין פּרעגלען** אײַנגעמאַכטס. איר מיינט, זי פּרעגלט אויף **האָליך** אָדער אויף קוילן? ווער? וואָס? פּרעגלען פּרעגלט זי אויף **שטעכלקעס** און בלעטלעך. זי מאַכט אָן אַזאַ **רויך** אַז מע קען **דערשטיקט ווערן**. שרעקט אײַך נישט, ס׳איז נישט קיין **שׂרפֿה**; דאָס פּרעגלט מנשהכע די רופֿאטע אײַנגעמאַכטס, אַליין, מיט אירע אייגענע הענט, פֿון אירע אייגענע פֿרוכטן פֿון איר אייגענעם גאָרטן.

און אָט אַזוי קומען מיר צו צום גאָרטן.

די רשעטע [ראָשעטע]	bad woman
מאַנצבילש־ן	masculine
דאָס קול [קאָל]	voice
די שטיוול (**דער** שטיוול)	boots
די אײַנגעמאַכטסן	preserves, jams
(**דאָס** אײַנגעמאַכטס)	
די טבֿע [טעווע]	nature, character
האַלט אין איין (האַלטן אין איין...)	continues ...ing without stopping
פּרעגלען	cook down (jam); fry
דאָס האָלץ	wood
די שטעכלקעס (**די** שטעכלקע)	prickles; barbs
דער רויך	smoke, fume
דערשטיקט ווערן	suffocate *intrans.*
די שׂרפֿה [סריפֿע]	fire, blaze

געניטונגען

I. פֿאַר יעדן זאַץ, שרײַבט צי ער איז ריכטיק אָדער נישט־ריכטיק. אויב אַ זאַץ איז נישט־ריכטיק, שרײַבט אים איבער און בעסערט אים אויס.

1. מנשהכע די רופֿאטע רופֿט מען אויף איר טאַטנס נאָמען.
2. זי איז אַ רשעטע.
3. זי האָט אַ מאַנצבילשן פּנים, אַ קול פֿון אַ מאַנצביל, און טראָגט מאַנצבילשע הויזן.
4. זי האָט אויפֿגעגעסן דאָס ברויט פֿון דעם אָרעמאַן.
5. בײַ מנשהכען קענט איר געפֿינען אַ סך אײַנגעמאַכטס.
6. זי ווייסט אַליין נישט פֿאַר וואָס זי דאַרף האָבן אַזוי פֿיל אײַנגעמאַכטס. ס'איז איר נאַטור.
7. ווינטער האַלט זי אין איין פּרעגלען אײַנגעמאַכטס.

8. ווען זי פּרעגלט אײַנגעמאַכטס, מאַכט זי אָן אַזאַ רויך אויף דער גאַנצער גאַס אַז עס ווערט אַ שׂרפֿה.

9. זי מאַכט דאָס אײַנגעמאַכטס פֿון די פּרוכטן פֿון איר אייגענעם גאָרטן.

ד

וואָס פֿאַר אַ פּרוכטן געפֿינט איר נישט אינעם דאָזיקן גאָרטן? עפּל, און באַרן, און ווײַנשל, און פֿלוימען און קאַרשן, און אַגרעסן, און ווײַמפּערלעך, און פֿערשקעס, און מאַלענעס, און וואָס נישט? איך בין גוט באַקאַנט מיטן דאָזיקן גאָרטן. איך ווייס אַפֿילו, ווו יעדעס ביימעלע געפֿינט זיך, און וואָס עס וואַקסט אויף דעם. פֿון וואַנען ווייס איך דאָס? שרעקט אײַך נישט, איך בין דאָרטן קיין מאָל נישט געוועזן. ווי אַזוי האָב איך געקענט זײַן, אַז אַרום דעם גאָרטן איז דאָ אַ הויכער פּאַרקאַן מיט מוראדיקע שטעכלקעס. ס'איז אויך דאָ אַ הונט. נישט קיין הונט, נאָר אַ וואָלף! אויף אַ לאַנגן שטריק שטייט ער צוגעבונדן. לאָז נאָר עמעצער דורכגיין פֿאַרבײַ, אָדער לאָז זיך אים דאַכטן אַז עמעצער גייט פֿאַרבײַ, הייבט ער אָן צו רײַסן זיך, שפּרינגען און בילן מיט כּעס. ווי באַלד אַזוי, ווי קום איך אין גאָרטן אַרײַן? הערט זשע, וועל איך אײַך דערציילן.

די באַרן (די באַר)	pears
די ווײַנשל (דער ווײַנשל)	sour cherries
די פֿלוימען (די פֿלוים)	plums
די קאַרשן (די קאַרש)	cherries
די אַגרעסן (דער אַגרעס)	gooseberries
די ווײַמפּערלעך (דאָס ווײַמפּערל)	currants
די פֿערשקעס (די פֿערשקע)	peaches
די מאַלענעס (די מאַלענע)	raspberries

פֿון וואַנען	how (from where)
דער פּאַרקאַן	fence
מוראדיק־ע [מוירעדיק־ע]	frightening, dreadful
לאָז (לאָזן)	let
דורכגיין	pass by/through
פֿאַרבײַ	past
לאָז זיך (אים) דאַכטן אַז...	let (him) suppose that...; if he even supposes/gets the impression that...
דאַכטן זיך	seem to, suppose
רײַסן זיך	to strain (at his leash)
בילן	bark
ווי באַלד	since, as

געניטונגען

I. ענטפֿערט אויף יעדער פֿראַגע אין אַ פֿולן זאַץ.

1. וואָס פֿאַר אַ פּרוכטן געפֿינט מען אין דעם גאָרטן?
2. וועלכע פֿון די פּרוכטן האָסטו ליב?
3. וועלכע פּרוכטן האָסטו אין דײַן גאָרטן?
4. וואָס ווייסט מאָטל?
5. איז מאָטל אַ מאָל געווען אין דעם גאָרטן?
6. פֿאַר וואָס האָט ער אַפֿילו נישט געקענט זײַן דאָרטן? וואָס איז דאָ אַרום דעם גאָרטן?
7. וואָס פֿאַר אַ הונט איז דאָ אין גאָרטן?
8. ווי איז דער הונט צוגעבונדן?
9. ווען שפּרינגט און בילט דער הונט מיט כּעס?

ה

מענדל דעם שוחטס קענט איר, צי ניין? בײַ מענדל דעם שוחטס אַז מען זיצט אויפֿן דאַך, קען מען זען אַלצדינג וואָס בײַ מנשה דעם רופֿא אין גאָרטן טוט זיך. מענדל דעם שוחטס דירה איז די אַנדערע פֿון אונדז און איז אַ סך נידעריקער פֿון אונדזער דירה. אַז מען קריכט אַרויף צו אונדז אויפֿן בוידעם און שטעלט אַרויס אַ פּוס פֿונעם קליינעם פֿענצטערל, איז מען שוין בײַ מענדל דעם שוחטס אויפֿן דאַך.

מע מוז דאָרט ליגן, אַז נישט קען מען אײַך חלילה דערזען. איך האָב אויסגעקליבן אַ צײַט פֿאַר נאַכט ווען איך בין געגאַנגען אין שול אַרײַן קדיש זאָגן. דעמאָלט איז נישט טאָג און נישט נאַכט, די בעסטע צײַט. איך האָב אַראָפּגעקוקט פֿון דאָרטן אין גאָרטן אַרײַן, שווער איך אײַך, ס'איז אַ גן־עדן... וואָס זאָג איך? אַ גן־עדן שבגן־עדן!...

אַז דער זומער הייבט זיך אָן, און די ביימער הייבן אָן צו בליִען, באַווײַזן זיך אין די קורצע שטעכלדיקע ביימעלעך גרינע אַגרעסן. דאָס איז די ערשטע פֿרוכט וואָס עס גלוסט זיך אײַך פֿאַרזוכן. נאָך די אַגרעסן קומען אויף די ווײַמפּערלעך. רויטינקע מיט שוואַרצע פּיסקעלעך, מיט געלע קערעלעך און צענדליקער־צענדליקער אויף איין צווײַגעלע. אַז זיי קומען אויף, קויפֿט מיר די מאַמע פֿאַר אַ גראָשן אַ קווערטעלע ווײַמפּערלעך אויף שהחיינו – עס איך זיי מיט ברויט. בײַ מנשהכע די רופֿאטע אין גאָרטן זײַנען דאָ צוויי רייען קליינע ביימעלעך, פֿול מיט ווײַמפּערלעך, און עס גלוסט זיך כאָטש איין צווײַגעלע, כאָטש איין ווײַמפּערל מיט צוויי פֿינגער געבן אַ רײַס אָפּ און גלײַך אין מויל אַרײַן!

לאָמיר איצט רעדן פֿון ווײַנשל. ווײַנשל ווערן גיך פֿאַרטיק. ווײַנשל פֿלעגט מיר אויך די מאַמע ברענגען אויף שהחיינו. פֿינף

שטיק אויף אַ פּאַדעם. וואָס טוט מען מיט פֿינף ווײַנשל? מע שפּילט זיך מיט זיי אַזוי לאַנג, ביז מע ווייסט נישט ווו זיי זענען...

Jewish ritual slaughterer's, *here,* the son of the ritual slaughterer who might also be a slaughterer	← דעם שוחטס [שוֹיכעטס] דער שוחט [שוֹיכעט]
is going on, happens	טוֹט זיך (טאָן זיך)
apartment, dwelling	די דירה [דירע]
next door to us	די אַנדערע פֿון אונדז
climb	קריכט (קריכן)
attic	דער בוידעם
chose	אויסגעקליבן (אויסקלײַבן)
swear	שווער (שווערן)
bloom	בליִען
appear, show up	באַווײַזן זיך
you want/desire	עס גלוסט זיך אײַך (גלוסטן זיך)
taste	פֿאַרזוכן
humorous word for mouths, *here,* top of the berry	די פּיסקעלעך (דאָס פּיסקעלע)
pips, seeds	← ◆ די קערעלעך (דאָס קערעלע) דער קערן
less than a pint, a small amount of	דאָס קווערטעלע
for the *Shekhianu* blessing, *name of a blessing said when a holiday comes or when one tastes a new fruit or when something good occurs* (*lit.* "He who has kept us in life")	אויף שהחיינו [שעכעיאָנו] דער שהחיינו
at least	כאָטש
tear off	געבן אַ רײַס אָפּ

פֿאַרטיק	ready, ripe
פּלעגט (איך פּלעג, דו פּלעגסט...)	used to, *used for frequent action in the past, followed by an infinitive*
דער פֿאָדעם	thread

געניטונגען

I. פֿאַרט צונויף די ערשטע העלפֿט זאַץ מיט דער צווייטער העלפֿט. שרײַבט דעם גאַנצן זאַץ.

1. פֿון מענדל דעם שוחטס דאַך
2. מענדל דעם שוחטס דירה
3. אַז מע קריכט אַרויף צו מאָטלען אויפֿן בוידעם,
4. מאָטל איז אַרויפֿגעגאַנגען אויף מענדלס דאַך
5. זומער אַז די ביימער הייבן אָן צו בליִען,
6. די ווײַמפּערלעך
7. די מאַמע קויפֿט מאָטלען
8. בײַ מנשהכען אין גאָרטן
9. עס גלוסט זיך מאָטלען נעמען
10. די מאַמע פּלעגט ברענגען

א) פֿאַר נאַכט ווען ער איז געגאַנגען זאָגן קדיש.
ב) זײַנען דאָ צוויי רייען קליינע ביימעלעך.
ג) קומען אויף נאָך די אַגרעסן.
ד) כאָטש איין ווײַמפּערל גלײַך אין מויל אַרײַן.
ה) איז מען כמעט בײַ מענדלען אויפֿן דאַך.
ו) באַווײַזן זיך אין די קורצע שטעכלדיקע ביימעלעך גרינע אַגרעסן.
ז) מאָטלען פֿינף שטיק ווײַנשל אויף אַ פֿאָדעם אויף שהחיינו.
ח) פֿאַר אַ גראָשן אַ קוואַרטעלע ווײַמפּערלעך אויף שהחיינו.
ט) קען מען זען אַלצדינג וואָס טוט זיך בײַ מנשה דעם רופֿא אין גאָרטן.
י) איז אַ סך נידעריקער פֿון מאָטלס דירה.

ז

וויפֿל שטערן אין הימל – אַזוי פֿיל ווײַנשל בײַ מנשה דעם רופֿא אין גאָרטן. **זעלטן־זעלטן** ווען עס פֿאַלט אַראָפּ אַ ווײַנשל אויף דער ערד. אָבער פֿערשקעס – די פֿאַלן אָפּ, ווי באַלד נאָר זיי ווערן געל. אַך, פֿערשקעס, פֿערשקעס! איך האָב זיי ליב מער ווי אַלע פֿרוכטן. איך האָב אויף מײַן לעבן געגעסן נישט מער ווי איין פֿערשקע. איך בין נאָך נישט אַלט געווען קיין פֿינף יאָר. מײַן טאַטע האָט נאָך געלעבט און אין שטוב איז נאָך געווען בײַ אונדז אַלצדינג: די גלעזערנע שאַפֿע, מיט די ספֿרים, מיטן גאַנצן **בעטגעוואַנט**. קומט ער איין מאָל אַהיים פֿון שול און מאַכט צו מיר און צו מײַן ברודער אליה...

– קינדער, פֿערשקעס וועט איר עסן? איך האָב אײַך געבראַכט פֿערשקעס. אַ פּאָר פֿערשקעס.

און ער נעמט אַרויס פֿון **קעשענע** צוויי גרויסע, געלע, קײַלעכיקע, שמעקנדיקע פֿרוכטן. מײַן ברודער אליה האָט קיין צײַט נישט. ער מאַכט אַ ברכה און כאַפּט אַרײַן די גאַנצע פֿערשקע אין מויל אַרײַן. איך האָב ליב פֿריִער זיך **אָנשפּילן**, זיך **אָנשמעקן**, **אָנשפּיגלען** און נאָך דעם וועל איך זי עסן. נישט אויף איין מאָל, נאָר **שטיקלעכווײַז**, און מיט ברויט. פֿערשקעס זענען גוט מיט ברויט. פֿון דעמאָלט אָן האָב איך מער קיין פֿערשקעס נישט פֿאַרזוכט, נאָר דעם **טעם** פֿון יענער ערשטער פֿערשקע קען איך נישט פֿאַרגעסן!

איצט שטייט פֿאַר מיר אַ גאַנצער בוים מיט פֿערשקעס, און איך ליג בײַ מענדל דעם שוחטס אויפֿן דאַך און קוק און קוק און זע, ווי עס פֿאַלט אַ פֿערשקע נאָך אַ פֿערשקע. וואָס וועט זי טאָן, די רופֿאטע, מיט אַזוי פֿיל פֿערשקעס? זי וועט מאַכן פֿון

זיי אײַנגעמאַכטס. זי וועט דאָס אײַנגעמאַכטס אַוועקשטעלן אין קעלער אַרײַן, און דאָרטן וועט עס שטיין אַזוי לאַנג, ביז עס וועט ווערן געצוקערט און כאַפּן אַ שימל.

זעלטן־זעלטן	very seldom
דאָס בעטגעוואַנט	bedding, bedclothes
די קעשענע	pocket
זיך אָנשפּילן (אָנשפּילן זיך)	play as much as one pleases
זיך אָנשפּיגלען (אָנשפּיגלען זיך)	gaze at; delight in
שטיקלעכווײַז	piece by piece
דעם טעם [טאַם] ← (דער טעם)	taste
ווערן געצוקערט	become sugary, crystallize
כאַפּן אַ שימל	become a little mo(u)ldy
דער שימל	mo(u)ld

געניטונגען

I. פֿאַר יעדן זאַץ, שרײַבט צי ער איז ריכטיק אָדער נישט־ריכטיק. אויב אַ זאַץ איז נישט־ריכטיק, שרײַבט אים איבער און בעסערט אים אויס.

1. פֿון מנשה דעם רופֿאס גאָרטן קען מען זען אַ סך שטערן.
2. אַ ווײַנשל פֿאַלט זעלטן אַראָפּ אויף דער ערד.
3. פֿערשקעס פֿאַלן אָפּ ווי באַלד נאָר זיי ווערן רויט.
4. מאָטל האָט זייער ליב פֿערשקעס.
5. ער האָט נאָר געגעסן איין פֿערשקע אין זײַן לעבן ווען ער איז שוין אַלט געווען פֿינף יאָר.
6. דער טאַטע האָט אַהיימגעבראַכט די פֿערשקעס.
7. אין שטוב איז נאָך געווען בײַ זיי אַלצדינג: די גלעזערנע שאַפֿע, מיט די ספֿרים, מיט מעניע דעם קעלבל.

8. דער טאַטע האָט אַרויסגענומען פֿון קעשענע צוויי גרויסע, געלע, קײַלעכדיקע פֿרוכטן – פֿערשקעס.
9. אליה האָט נישט קיין צײַט און עסט אַזוי גיך אַז ער מאַכט אַפֿילו נישט קיין ברכה.
10. אײדער מאָטל עסט די פֿערשקע שפּילט ער זיך מיט איר.
11. מאָטל עסט נישט די גאַנצע פֿערשקע אויף איין מאָל, נאָר שטיקלעכווײַז.
12. פֿון דעמאָלט אָן האָט מאָטל נישט געגעסן קיין פֿערשקעס און האָט שוין פֿאַרגעסן דעם טעם פֿון יענער ערשטער פֿערשקע.
13. מאָטל ליגט בײַ מענדל דעם שוחטס אויפֿן דאַך און זעט ווי די פֿערשקעס פֿאַלן.
14. מאָטל טראַכט, אַז מנשהכע די רופֿאטע וועט מאַכן אײַנגעמאַכטס און וועט עס באַלד אויפֿעסן.

ז

איר האָט נאָך אַזאַ **צרה** נישט געזען. לאָז אַראָפּפֿאַלן איין עפּעלע אַ **ווערעמדיקס**, אָן **אײַנגעקנייטשטס**, ווי בײַ אַן אַלטער באָבען דאָס פּנים, וועט די **מכשפֿה** גיך אויפֿהייבן, אַרײַנלייגן אין **פֿאַרטעך** אַרײַן און אַוועקטראָגן אויפֿן בוידעם און אפֿשר אין קעלער. איז נישט אַ מיצווה, מע זאָל בײַ איר רײַסן עפּל?

יאָ, אָבער ווי אַזוי? אַרײַנגיין אין גאָרטן בײַ דער נאַכט, ווען אַלע שלאָפֿן? אָבער וואָס וועט זאָגן דער הונט? איך קלער אַזוי לאַנג ביז איך דערקלער. אַ שטעקן, אַ לאַנגן שטעקן מיט אַ **טשוואָק** בײַם שפּיץ. איר דאַרפֿט נאָר זען אַז דער עפּל זאָל נישט אַראָפּפֿאַלן אויף דער ערד. בײַ מיר פֿאַלן נישט קיין עפּל. איך ווייס ווי אַזוי מע דאַרף האַלטן אַ שטעקן, אַז מע רײַסט עפּל. דער **עיקר** איז, מע זאָל זיך נישט **כאַפּן**. וואָס האָט איר קיין צײַט

נישט? איר האָט דערטאַפּט אַן עפּל? עסט אים אויף שטילער־הייט. רוט זיך אָפּ אַ ביסל און רײַסט ווײַטער.

ווי האָב איך געקענט וויסן, אַז די מכשפֿה וועט געדענקען וויפֿל עפּל עס זענען נאָך דאָ אויפֿן בוים? אַ פּנים זי האָט זיי איבערגעציילט בײַ טאָג, און האָט זיך געכאַפּט אויף מאָרגן, אַז עס פֿעלן איר עטלעכע עפּל. האָט זי זיך באַהאַלטן בײַ זיך אויפֿן בוידעם צו כאַפּן דעם גנבֿ. בעסער וואָלט זי מיך געכאַפּט אַליין, אָן עדות. גייט זי אָבער אַוועק צו מײַן מאַמע און צו אונדזער שכנה פּעסיע און צו דער שוחטקע און נעמט זיי מיט זיך און קריכט מיט זיי אַרויף צו אונדז אויפֿן בוידעם (אַ מכשפֿה קען!). פֿונעם בוידעם איז זיי שוין געווען נישט שווער צו זען דורכן פֿענצטערל, ווי אַזוי איך אַרבעט מיטן שטעקן.

אַ שטעקן, אַ לאַנגן שטעקן מיט אַ טשוואָק בײַם שפּיץ.

די צרה [צאָרע]	trouble, calamity
וועֶרעמדיק־ס	wormy, worm-eaten
אײַנגעקנייטשט־ס	creased, wrinkled
די מכשפֿה [מאַכשייפֿע]	witch
דערקלעֶר (דערקלעֶרן)	figure it out
דער טשוואָק	nail (hardware)
דער עיקר [איקער]	the main thing
זיך כאַפּן (כאַפּן זיך)	rush, be hasty
דערטאַפּט (דערטאַפּן)	reached, got hold of
זיך געכאַפּט (כאַפּן זיך) אַז	discovered, realized that
פֿעֶלן	are missing
עֶטלעכע	several
זיך באַהאַלטן (באַהאַלטן זיך)	hid herself
דעם גנבֿ [גאַנעף/גאַנעוו] ← דער גנבֿ	thief
די עדות (דער עדות) [איידעס]	witness
דער שוחטקע [שויכעטקע] ← די שוחטקע	wife of ritual slaughterer, *here,* Mendl's wife

געניטונגען

I. ענטפֿערט אויף יעדער פֿראַגע אין אַ פֿולן זאַץ.

1. ווער איז די מכשפֿה?
2. וואָס וועט זי טאָן אויב אַ ווערעמדיק, אײַנגעקנייטשט עפּעלע פֿאַלט אַראָפּ פֿון בוים?
3. וואָס האָט אַ פּנים ווי בײַ אַן אַלטער באָבען?
4. פֿאַר וואָס האַלט מאָטל, אַז ס'איז אַ מיצווה צו רײַסן בײַ דער מכשפֿה עפּל?
5. פֿאַר וואָס קען מאָטל נישט אַרײַנגיין אין גאָרטן בײַ נאַכט, ווען אַלע שלאָפֿן?

6. צו וואָס האָט זיך מאָטל דערקלערט? ווי אַזוי וועט ער רײַסן עפּל?
7. וואָס איז דער עיקר?
8. האָט מאָטל געקענט וויסן, אַז די מכשפֿה וועט געדענקען וויפֿל עפּל עס זײַנען נאָך דאָ אויפֿן בוים?
9. לויט מאָטלען, ווי אַזוי ווייסט זי וויפֿל עפּל עס זײַנען דאָ בײַ איר אין גאָרטן?
10. פֿאַר וואָס האָט זי זיך באַהאַלטן אויפֿן בוידעם?
11. ווער זײַנען די עדות מיט וועמען די מכשפֿה האָט געכאַפּט מאָטלען?
12. וואָס האָבן די געקענט זען דורכן פֿענצטערל פֿון בוידעם?

II. שפּילט אויס די סצענע צווישן דער רופֿאטע און די ווײַבער.

ח

— נו? וואָס זאָגט איר אויף אײַער **תּכשיט**? איצט גלייבט איר שוין?

איך האָב אויסגעדרייט דעם קאָפּ צום בוידעם און האָב דערזען אַלע פֿיר **ווײַבער**. דער הונט זאָל נישט ליגן אין גאָרטן, וואָלט איך זיך **אַראָפּגעוואָרפֿן** פֿונעם דאַך און וואָלט זיך **דערהרגעט** פֿאַר **בזיון**. ערגער פֿון אַלץ איז מיר געוועזן דער מאַמעס טרערן. זי האָט נישט אויפֿגעהערט צו וויינען.

— וויי איז מיר! איך האָב געמיינט אַז מײַן יתום גייט אין שול אַרײַן זאָגן קדיש נאָכן טאַטן, ליגט ער **גאָר** אויף אַ בוידעם, וויי איז מיר, און רײַסט עפּל פֿון אַ פֿרעמדן גאָרטן!...

און די מכשפֿה שטייט איבער איר און זאָגט מיט איר מאַנצבילשער שטים:

— שמײַסן דאַרף מען אים. בלוט זאָל גיין! אַ ייִנגעלע זאָל וויסן **דאָס אַנדערע מאָל** נישט צו זײַן קיין ג...

די מאַמע דערלאָזט נישט אַרויסזאָגן דאָס וואָרט „גנבֿ".

– ער איז אַ יתום, נעבעך אַ יתום! – וויינט די מאַמע צו דער רופֿאטע און בעט בײַ איר אַז זי זאָל מיר מוחל זײַן. זי שווערט, אַז דאָס איז דאָס לעצטע מאָל.

איך האָב אויסגעדרייט דעם קאָפּ צום בוידעם און האָב דערזען אַלע פֿיר ווײַבער.

– לאָז ער שווערן, אַז ער וועט שוין מער אַפֿילו נישט אַרײַנקוקן צו מיר אין גאָרטן אַרײַן!

– לאָז מיר אָפּדאַרן די הענט! לאָז מיר אַרויס די אויגן! – זאָג איך, און גיי מיט דער מאַמען אַהיים און הער אויס איר וויינען, און צעוויין מיך אַליין אויך.

– איך פֿרעג דיך נאָר, וואָס וועט פֿון דיר זײַן? – פֿרעגט מיך די מאַמע מיט טרערן.

מײַן ברודער אליה הערט אויס די מעשׂה מיט די עפּל און ווערט בלאַס. די מאַמע האָט מורא, ער וועט מיך שלאָגן. זי בעט אים, ער זאָל מיך נישט שלאָגן, ווײַל איך בין אַ יתום.

– ווער שלאָגט אים? – זאָגט מײַן ברודער אליה. – איך וויל נאָר וויסן, וואָס וועט זײַן פֿון אים? וואָס וועט זײַן פֿון אים??!!

אַזוי זאָגט מײַן ברודער אליה און קוקט אויף מיר, איך זאָל אים זאָגן, וואָס וועט זײַן פֿון מיר? איך ווייס, וואָס וועט זײַן פֿון מיר? אפֿשר ווייסט איר, וואָס וועט זײַן פֿון מיר?

דער תּכשיט [טאַכשעט]	brat
די ווײַבער	wives; women
אַראָפּגעוואָרפֿן (אַראָפּוואַרפֿן)	have thrown down
דערהרגעט [דערהאַרגעט]	killed
(דערהרגענען) [דערהאַרגענען]	
דער בזיון [ביזויען]	shame, disgrace
גאָר	surprisingly, of all places
דאָס אַנדערע מאָל	the next time
מוחל [מויכל] זײַן	excuse, pardon, forgive
שווערט (שווערן)	swears
אָפּדאַרן	dry up, shrivel
צעוויין מיך (צעוויינען זיך)	I burst into tears
בלאַס	pale
האָט מורא [מוירע] (מורא האָבן)	is afraid

גענײטונגען

I. שטעלט די זאַצן אין דעם ריכטיקן סדר.

א) די מאַמע האָט נישט אויפֿגעהערט צו וויינען, ווײַל זי האָט געמיינט אַז מאָטל גייט אין שול אַרײַן זאָגן קדיש און ער רײַסט גאָר עפּל פֿון אַ פֿרעמדן גאָרטן.
ב) די רופֿאטע זאָגט, אַז מע דאַרף אים שמייסן אַז בלוט זאָל גיין.
ג) מאָטל שווערט, אַז ער וועט מער נישט גנבֿענען פֿון דער רופֿאטעס גאָרטן.
ד) די מכשפֿה פֿרעגט בײַ דער מאַמען, צי זי גלייבט דאָס וואָס זי האָט איר געזאָגט וועגן איר תּכשיט.
ה) אליה הערט אויס די מעשׂה און די מאַמע מיינט ער וועט מאָטלען שלאָגן.
ו) די מאַמע דערלאָזט ניט, אַז די מכשפֿה זאָל אַרויסזאָגן דאָס וואָרט „גנבֿ".
ז) מאָטל האָט אויסגעדרייט דעם קאָפּ און דערזען אַלע פּיר ווײַבער און האָט זיך געוואָלט אַראָפּוואַרפֿן פֿונעם דאַך.
ח) מנשהכע וויל, אַז מאָטל זאָל שווערן, אַז ער וועט מער אַפֿילו נישט אַרײַנקוקן צו איר אין גאָרטן.
ט) אליה זאָגט, ער וועט מאָטלען נישט שלאָגן, ער וויל נאָר וויסן, וואָס וועט זײַן פֿון אים.
י) די מאַמע בעט די רופֿאטע, זי זאָל מאָטלען מוחל זײַן, ווײַל ער איז אַ יתום.

II. איז די מכשפֿה געווען גערעכט צו זײַן אין כּעס אויף מאָטלען?

III. שפּילט אויס די סצענע צווישן דער מאַמען און דער מכשפֿה.

ייִדן, אַ געטראַנק! אַ קאָפּעקע אַ גלאָז!

קאַפּיטל 4

מײַן ברודער אליהס געטראַנק

א

„פֿאַר איין **רובל** – הונדערט רובל! הונדערט רובל אַ מאָנאַט און מער קען **פֿאַרדינען** יעדער איינער וואָס וועט זיך באַקענען מיט אונדזער בוך, וואָס קאָסט נאָר איין רובל. לויפֿט, קויפֿט! סטאַפּט, כאַפּט – איר וועט **פֿאַרשפּעטיקן**!"

ווי נאָר מײַן ברודער אליה האָט איבערגעלייענט, אַז ס׳איז דאָ אַזאַ בוך אויף דער וועלט, אַזוי האָט ער באַלד אַוועקגעשיקט אויף דער פּאָסט אַ רובל (דעם לעצטן רובל) און האָט אָנגעזאָגט דער מאַמען אַ **בשׂורה**, זי זאָל נישט זאָרגן מער.

– **מאַמע! דאַנקען גאָט, מיר זענען געהאָלפֿן. מיט פּרנסה** זענען מיר שוין **פֿאַרזאָרגט**.

– וואָס איז דען? – פֿרעגט אים די מאַמע. – **האָסט געקראָגן אַ שטעלע?**

– נאָך בעסער פֿון אַ שטעלע! – ענטפֿערט איר מײַן ברודער אליה, און די אויגן בײַ אים **לײַכטן**. ער הייסט איר וואַרטן ביז דאָס בוך וועט אָנקומען.

– **וואָסער בוך?** – פֿרעגט אים די מאַמע.

– **ס׳איז שוין איין מאָל אַ בוך!** – זאָגט איר מײַן ברודער אליה און פֿרעגט זי, אויב זי וועט זײַן צופֿרידן מיט הונדערט רובל אַ **חודש**. לאַכט פֿון אים די מאַמע און זאָגט אים, אַז זי וואָלט געווען צופֿרידן מיט הונדערט רובל אַ יאָר, **אַבי זיכערע**.

אַלע טאָג גייט מײַן ברודער אליה אויף דער פּאָסט און

פֿרעגט זיך נאָך אויפֿן בוך. שוין מער ווי אַ וואָך, אַז ער האָט אַוועקגעשיקט דעם רובל, און קיין בוך איז נישטאָ!

דאָס געטראַנק	drink
דער רובל (די רובל)	ruble, *Russian money*
דער מאָנאַט	month
פֿאַרדינען	earn
סטאַפּט (סטאַפּן)	stop *(English word used as an advertising gimmick that became part of the Anglisized Yiddish of the day)*
פֿאַרשפּעטיקן	be/arrive too late
די בשורה [בסורע]	news, announcement
די פּרנסה [פּאַרנאָסע]	means of making a living; sustenance
פֿאַרזאָרגט (פֿאַרזאָרגן)	taken care of, provided for
דען	else, then *(after an interrogative pronoun or adverb)*
די שטעלע	job
לײַכטן	shine
וואָסער	which, what, what sort of
שוין איין מאָל אַ (בוך)	some (book); quite a (book) (*lit.* "already one time a (book)")
דער חודש [כוידעש]	month
אַבי זיכער־ע	as long as they're certain
פֿרעגט זיך נאָך (נאָכפֿרעגן זיך) (אויף)	inquires/asks (after)

געניטונגען

I. ענטפֿערט אויף יעדער פֿראַגע אין אַ פֿולן זאַץ.

1. וויפֿל קען פֿאַרדינען יעדער איינער וואָס וועט זיך באַקענען מיט דעם בוך?
2. וויפֿל קאָסט דאָס בוך?
3. וואָס האָט אליה געטאָן, ווי נאָר ער האָט איבערגעלייענט אַז ס'איז דאָ אַזאַ בוך אויף דער וועלט?
4. פֿאַר וואָס האָט די מאַמע געמיינט, אַז אליה האָט געקראָגן אַ שטעלע?
5. פֿאַר וואָס זאָגט אליה, אַז דאָס בוך איז נאָך בעסער פֿון אַ שטעלע?
6. פֿאַר וואָס לאַכט די מאַמע פֿון אליהן ווען ער פֿרעגט זי, אויב זי וואָלט געווען צופֿרידן מיט הונדערט רובל אַ חודש?
7. וואָס וויל די מאַמע בעסער: הונדערט רובל אַ חודש אָדער הונדערט רובל אַ יאָר, אַבי זיכערע?
8. פֿאַר וואָס גייט אליה אַלע טאָג אויף דער פּאָסט?
9. ווען האָט ער אַוועקגעשיקט דעם רובל?

ב

שאַט, שוין דאָ דאָס בוך! מײַן ברודער אליה האָט זיך גלײַך אַוועקגעזעצט לייענען. וויי־וויי, וואָס ער האָט דאָרטן אויסגעלייענט! אַ **רעצעפּט** אויף צו פֿאַרדינען הונדערט רובל אַ חודש דורך מאַכן די בעסטע **טינטן**. אַ רעצעפּט אויף צו פֿאַרדינען הונדערט רובל אַ חודש דורך מאַכן גוטע שוואַרצע **שוואַקס**. אַ רעצעפּט אויף צו פֿאַרדינען הונדערט רובל אַ חודש און מער דורך מאַכן **ליקערן**, לימאָנאַד, סאָדע־וואַסער און **קוואַס**.

מײַן ברודער אליה האָט זיך **אָפּגעשטעלט** אויפֿן לעצטן רעצעפּט, ווײַל דורך אים קען מען פֿאַרדינען נאָך מער ווי הונדערט רובל אַ חודש, אַזוי **שטייט** דאָך **געשריבן** אין בוך. די פֿראַגע איז נאָר וואָסער געטראַנק זאָל ער מאַכן? צו ליקערן דאַרף מען האָבן אַ סך געלט. צו לימאָנאַד און סאָדע־וואַסער

מײַן ברודער אליה לאָזט קיינעם נישט צו, ווען ער מאַכט דעם קוואַס.

דאַרף מען האָבן אַ מאַשין, עפּעס אַ מין שטיין וואָס קאָסט ווער ווייסט וויפֿל. בלײַבט איבער נאָר איין זאַך: קוואַס! קוואַס איז אַזאַ מין געטראַנק, וואָס קאָסט ביליק און עס גייט אַ סך.

ווי אַזוי ער ווערט געמאַכט, קען איך אײַך נישט זאָגן. מײַן ברודער אליה לאָזט קיינעם נישט צו, ווען ער מאַכט אים. אַז ער גיסט וואַסער זעען אַלע. נאָר אַז ער האַלט אין רעכטן מאַכן, פֿאַרשליסט ער זיך אין דער מאַמעס אַלקער. נישט איך, נישט די מאַמע, נישט מײַן שוועגערין ברכה – קיינער קען נישט זײַן דערבײַ. נאָר אויב איר זאָגט מיר צו, אַז עס וועט זײַן אַ סוד, קען איך אײַך זאָגן, וואָס אין דעם געטראַנק געפֿינט זיך.

דאָרטן געפֿינט זיך שאָלעכץ פֿון לימענע, האָניק, אַ זאַך וואָס מע רופֿט דאָס קרימעטאַרטערום און וואָס איז זויערער פֿון עסיק, און מער פֿון אַלצדינג – וואַסער. וואָס מער וואַסער – מער קוואַס. מען גיסט עס אַרײַן אין אַ גרויסן קרוג, און מען

וואַרפֿט אַרײַן אַהין אַ שטיק אײַז. אײַז איז דער עיקר. אָן אײַז טויג עס נישט. איך האָב איין מאָל אַליין פֿאַרזוכט אַ ביסל קוואַס אָן אײַז, האָב איך געמיינט, אַז ס׳איז אַן עק פֿון מײַן לעבן.

hush! quiet! watch out!	שאַט!
recipe	דער רעצעפּט
inks	די טינטן (די/דער טינט)
shoe polish	דער שוואַקס
liquors	די ליקערן (דער ליקער)
cider	דער קוואַס
stopped, paused	זיך אָפּגעשטעלט (אָפּשטעלן זיך)
stands/be written	שטייט געשריבן (שטיין געשריבן)
some kind of a	עפּעס אַ מין [מין]
kind, sort	דער מין
stone	דער שטיין
cheap	ביליק
it sells well (*lit.* "it goes a lot")	עס גייט אַ סך [סאַך]
admits, allows	לאָזט צו (צולאָזן)
in the midst of making	אין רעכטן מאַכן
locks himself in	פֿאַרשליסט זיך (פֿאַרשליסן זיך)
sister-in-law	די שוועגערין
female name	ברכה [בראָכע]
secret	דער סוד [סאָד]
fruit peel	די/דאָס שאָלעכץ
cream of tartar	דער קרימעטאַרטערום
(more) sour	זויער־ער
vinegar	דער עסיק
the more	וואָס מער
pours into	גיסט אַרײַן (אַרײַנגיסן)
jug	דער קרוג
it's no good	טויג עס נישט (נישט טויגן)

איך האָב איין מאָל אַליין פֿאַרזוכט אַ ביסל קוואַס אָן
אײַז, האָב איך געמיינט, אַז ס׳איז אַן עק פֿון מײַן לעבן.

געניטונגען

I. פֿאַר יעדן זאַץ, שרײַבט צי ער איז ריכטיק אָדער נישט־ריכטיק. אויב אַ זאַץ איז נישט־ריכטיק, שרײַבט אים איבער און בעסערט אים אויס.

1. ווען דאָס בוך איז אָנגעקומען, האָט אליה זיך גלײַך אַוועקגעזעצט לייענען.
2. אין בוך זײַנען געווען רעצעפּטן אויף צו פֿאַרדינען געלט דורך מאַכן טינטן, שוואַרצע שוואַקס, ליקערן, ווײַן און קוואַס.

3. אליה האָט זיך אָפּגעשטעלט אויף דעם לעצטן רעצעפּט, ווײַל דורך אים קען מען פֿאַרדינען פּונקט הונדערט רובל אַ חודש.
4. אליה מיינט, אַז ס'איז בעסער נישט צו מאַכן קיין לימאָנאַד אָדער סאָדע־וואַסער, ווײַל צו דעם דאַרף מען האָבן אַ טײַערע מאַשין.
5. קוואַס קאָסט ניט קיין סך און עס גייט אַ סך.
6. מאָטל קען אונדז נישט זאָגן, ווי אַזוי דער קוואַס ווערט געמאַכט, ווײַל אליה לאָזט אים נישט דערציילן.
7. ווען אליה האַלט אין רעכטן מאַכן, פֿאַרשליסט ער זיך אין דער מאַמעס אַלקער, אַז קיינער זאָל נישט זען.
8. מאָטל ווייסט נישט וואָס אין דעם געטראַנק געפֿינט זיך, ווײַל עס איז אַ סוד.
9. דאָרטן געפֿינט זיך שאָלעכץ פֿון לימענע, קרימעטאַרטערום און וואַסער.
10. מאָטל זאָגט, אַז אײַז איז דער עיקר, ווײַל דאָס געטראַנק מוז זײַן קאַלט.
11. מאָטל האָט אַ מאָל פֿאַרזוכט אַ ביסל קוואַס אָן אײַז און דער קוואַס האָט נישט געטויגט.

ג.

געמאַכט דאָס ערשטע פֿעסל קוואַס, איז געבליבן אַז איך זאָל אים פֿאַרקויפֿן אויף דער גאַס. ווער דען אַז נישט איך? מײַן ברודער אליהן **פּאַסט** נישט. ער האָט דאָך שוין אַ ווײַב. דער מאַמען – אַוודאי נישט. אַלע האָבן געזאָגט, אַז דאָס דאַרף זײַן מײַן אַרבעט. איך **האָב** מיך **מחיה געווען**, אַז איך האָב דערהערט דאָס נײַעס. מײַן ברודער אליה האָט גענומען מיך לערנען, ווי אַזוי איך זאָל טאָן. דעם קרוג זאָל איך האַלטן אין איין האַנט אויף אַ שטריקל, דאָס גלאָז אין דער אַנדערער האַנט, און כּדי מענטשן זאָלן זיך אָפּשטעלן, זאָל איך זינגען הויך און מיט אַ ניגון אָט אַזוי:

ייִדן, אַ געטראַנק!
אַ קאָפּעקע אַ גלאָז!
קאַלט און זיס –
אַ **דערקוויקעניש!...**

אַ קול, האָב איך אײַך שוין געזאָגט, אַז איך האָב אַ שיינס. אַ סאָפּראַנאָ־שטים, בירושה פֿון מײַן טאַטן. איך האָב געגעבן אַ זינג אויס **אויף אַ** קול און האָב אַלץ **איבערגעדרייט** מיט די פּיס אַרויף:

זיסער קוואַס אַ גלאָז
אַ קאָפּעקע אַ ייִד!
אַ **קוויק** און אַ קאַלט –
אַ **דערטרינקעניש!...**

איך ווייס נישט, צי מײַן געזאַנג איז אַזוי **געפּעלן געוואָרן**, צי דאָס געטראַנק איז טאַקע געווען אַזוי גוט, צי **אפּשר** ווײַל דער טאָג איז געווען זייער אַ הייסער. איך האָב דעם ערשטן קרוג פֿאַרקויפֿט אין איין האַלבער שעה און בין געקומען אַהיים מיט כמעט **פֿינף גילדן**. מײַן ברודער אליה האָט אָפּגעגעבן דאָס געלט דער מאַמען, און מיר האָט ער באַלד אָנגעגאָסן אַ פֿרישן קרוג. ער האָט געזאָגט אַז אויב איך וועל זיך קענען אויסדרייען אַזוי פֿינף־זעקס מאָל דורכן טאָג, וועלן מיר פֿאַרדינען פּונקט הונדערט רובל אַ חודש. דאָס געטראַנק קאָסט אונדז כמעט גאָרנישט. דאָס גאַנצע געלט גייט אַוועק אויפֿן אײַז. **דעריבער** דאַרף מען זען גיך פֿאַרקויפֿן דעם קרוג מיטן געטראַנק, דאָס שטיקל אײַז זאָל **צו ניט** קומען אויפֿן צווייטן קרוג, און אויפֿן דריטן קרוג און אַזוי ווײַטער. דעריבער דאַרף מען מיטן געטראַנק גיין גיך, טאַקע לויפֿן. איך לויף און זינג.

דעם קרוג זאָל איך האַלטן אין איין האַנט אויף
אַ שטריקל, דאָס גלאָז אין דער אַנדערער האַנט.

וויפֿל איך האָב געמאַכט דעם ערשטן טאָג, ווייס איך אַליין נישט. איך ווייס נאָר אַז מײַן ברודער אליה מיט מײַן שוועגערין ברכה מיט מײַן מאַמע האָבן מיך שטאַרק געלויבט. פֿאַרן שלאָף פֿרעגט מיך די מאַמע צי עס טוען מיר נישט ווײ די פֿיס. מײַן ברודער אליה לאַכט פֿון איר. ער זאָגט, אַז איך בין אַזאַ ייִנגל, וואָס מיר טוט קיין מאָל נישט ווײ קיין זאַך.

– אמת! – זאָג איך. – אויב איר ווילט, גיי איך באַלד מיט אַ קרוג אין מיטן נאַכט.

אַלע דרײַ צעלאַכן זיך. נאָר אויף דער מאַמעס אויגן זע איך טרערן. אַ מאַמע דאַרף וויינען! איך וויל וויסן, אַלע מאַמעס וויינען אַזוי שטענדיק ווי מײַן מאַמע?

דאָס פֿעסל ◆ ← די/דאָס פֿאַס	little barrel
פּאַסט (פּאַסן)	is suitable/proper
(מיך) מחיה [מעכײַע] געווען (מחיה זײַן זיך)	(I) was thrilled
דאָס שטריקל	string
כּדי [קעדײַ]	so that
דער ניגון [ניגן]	melody, tune
דאָס דערקוויקעניש	quenching
בירושה [בעירושע]	by inheritance, by heredity
אויף אַ קול [קאָל]	in a loud voice
איבערגעדרייט מיט די פֿיס אַרויף (איבערדרייען מיט די פֿיס אַרויף)	turned upside down (*lit.* "turned over with its feet up")
איבערגעדרייט (איבערדרייען)	turned over
דער קוויק	delight *(Motl creates this noun from the verb* קוויקן זיך*)*
דאָס דערטרינקעניש	drowning
געפֿעלן געוואָרן (געפֿעלן ווערן)	was pleasing
אפֿשר [עפֿשער]	maybe

די גילדן/ס (דער גילדן)	(*Rus.*) coins of 15 kopecks, *there are 100 kopecks in a ruble*
דעריבער	therefore, consequently
צו ניץ קומען	be useful
געלויבט (לויבן)	praised

געניטונגען

I. שטעלט די זאַצן אין דעם ריכטיקן סדר.

א) מאָטל האָט געגעבן אַ זינג אויס אויף אַ קול און האָט אַלץ איבערגעדרייט מיט די פּיס אַרויף.

ב) מאָטל האָט זיך מחיה געווען ווען ער האָט דערהערט דאָס נײַעס, אַז פֿאַרקויפֿן דעם קוואַס וועט ער.

ג) מאָטל זאָגט אַז אַזוי ווי דאָס גאַנצע געלט גייט אַוועק אויף אײַז דאַרף מען גיך פֿאַרקויפֿן דעם קרוג מיטן געטראַנק, דאָס שטיקל אײַז זאָל צו ניץ קומען אויף ווײַטערדיקע קרוגן.

ד) אליה האָט מאָטלען געלערנט, וואָס צו זינגען, כּדי מענטשן זאָלן זיך אָפּשטעלן.

ה) ווען מע האָט געמאַכט דאָס ערשטע פּעסל קוואַס, האָט מען באַשלאָסן, אַז מאָטל זאָל אים פֿאַרקויפֿן אויף דער גאַס.

ו) אליה, די שוועגערין ברכה און די מאַמע צעלאַכן זיך, נאָר אויף דער מאַמעס אויגן זעט מאָטל טרערן.

ז) אליה האָט אָפּגעגעבן דאָס געלט דער מאַמען, און מאָטלען באַלד אָנגעגאָסן אַ פֿרישן קרוג.

ח) אליה האָט מאָטלען גענומען לערנען, ווי אַזוי ער זאָל האַלטן דעם קרוג און דאָס גלאָז.

ט) מאָטל האָט דעם ערשטן קרוג פֿאַרקויפֿט אין איין האַלבער שעה און איז געקומען אַהיים מיט כּמעט פֿינף גילדן.

י) אליה, ברכה און די מאַמע האָבן מאָטלען שטאַרק געלויבט, ווײַל ער האָט גוט פֿאַרדינט.

יא) מאָטל האָט געזונגען: „זיסער קוואַס אַ גלאָז/אַ קאָפּעקע אַ ייִד".

יב) אליה לאַכט פֿון דער מאַמען און זאָגט, אַז מאָטל איז אַזאַ ייִנגל וואָס אים טוט קיין מאָל נישט וויי קיין זאַך.
יג) מאָטל זאָגט, ער איז גרייט באַלד צו גיין מיטן קרוג אין מיטן נאַכט.

ריכטיקער סדר

א) ווען מע האָט געמאַכט דאָס ערשטע פּעסל קוואַס, האָט מען באַשלאָסן אַז מאָטל זאָל אים פֿאַרקויפֿן אויף דער גאַס.
ב) ______________________________

ד

עס גייט אונדז, קיין עין־הרע, דורך טיר און דורך טויער. איין טאָג איז הייסער פֿונעם אַנדערן. עס ברענט! מענטשן גייען אוים פֿאַר היץ, קינדער פֿאַלן אַזוי ווי פֿליגן. ווען נישט דאָס גלעזל קוואַס, וואָלט מען פֿאַרברענט געוואָרן. איך לויף אַהיים מיטן קרוג צען מאָל אַ טאָג! מײַן ברודער אליה קוקט אַרײַן אין פֿאַס אַרײַן מיט איין אויג און גיסט צו נאָך אַ פּאָר עמער וואַסער. אויף דער עצה בין איך געפֿאַלן נאָך פֿריִער פֿון אים.

איך מוז זיך מודה זײַן פֿאַר אײַך, אַז איך האָב אָפּגעטאָן אַ שפּיצל שוין עטלעכע מאָל. כּמעט אַלע טאָג גיי איך אַרײַן צו אונדזער שכנה פּעסיע, און גיב איר פֿאַרזוכן אַ גלעזל פֿון אונדזער געטראַנק. איר מאַן, משה דעם אײַנבינדער, גיב איך צוויי גלעזלעך. ער איז אַ גוטער מענטש. די קינדער אַלע גיב איך אויך צו גלעזלעך קוואַס. דעם בלינדן פֿעטער גיב איך אויך אַ גלעזל קוואַס צו פֿאַרזוכן. אַ רחמנות, נעבעך. אַלע מײַנע חבֿרים גיב איך קוואַס. אומזיסט, אָן אַ קאָפּעקע געלט. אויף יעדן גלעזל קוואַס, וואָס איך גיב אַוועק אומזיסט, גיס איך אַרײַן צוויי גלעזער וואַסער.

דאָס זעלבע טוט מען אין דער היים אויך. מײַן ברודער אליה טרינקט אויס אַ גלעזל קוואַס, גיסט ער צו באַלד אַ ביסל וואַסער. מײַן שוועגערין ברכה טרינקט אויס אַ פּאָר גלעזלעך קוואַס (זי האָט זייער ליב מײַן ברודער אליהס קוואַס), גיסט זי באַלד אַרײַן וואַסער. די מאַמע פֿאַרזוכט אַ מאָל אַ גלעזל קוואַס, (מע דאַרף זי בעטן, אַליין וועט זי נישט נעמען!), גיסט מען באַלד אַרײַן אַ ביסל וואַסער. מיר פֿאַרלירן נישט קיין **טראָפּן** און מיר מאַכן, קיין עין־הרע, פֿײַן געלט.

אין שטוב האָט זיך באַוויזן אַ טישל, אַ בענקל. אויף שבת האָבן מיר פֿיש און פֿלייש און ווײַסע **קוילעטשן**. מע האָט מיר **צוגעזאָגט** אויף יום־טובֿים אַ פּאָר נײַע שטיוועלעך. מיר דאַכט, אַז קיינעם איז נישט אַזוי גוט ווי מיר!

קיין עין־הרע [איינ(ה)אָרע]	no evil eye *(used like "knock on wood" to fight off evil when mentioning something positive)*
דורך טיר און דורך טויער	very successfully (*lit.* "through door and gate")
גייען אויס (אויסגיין)	faint
די היץ	heat
די פֿליגן (די פֿליג)	flies
ווען נישט	if not for (*lit.* "when not")
גיסט צו (צוגיסן)	pour in, add liquid
די עמער(ס) (דער עמער)	buckets, pails
זיך מודה זײַן [מוידע]	admit
אָפּגעטאָן אַ שפּיצל (אָפּטאָן אַ שפּיצל)	played a trick
צו	each, apiece

אומזיסט	for nothing, free
דער טראָפּן	drop
די קוילעטשן (דער קוילעטש)	challahs, *twisted loaves of white bread eaten on the Sabbath*
צוגעזאָגט (צוזאָגן)	promised

געניטונגען

I. קלײַבט אויס דאָס ריכטיקע וואָרט פֿון צווישן די פֿאָרגעלייגטע ווערטער צו ענדיקן דעם זאַץ. די ווערטער מעג מען ניצן איין מאָל, מער מאָל, אָדער אין גאַנצן נישט.

1. עס גייט מאָטלען און דער משפּחה דורך טיר און דורך ________.
2. עס איז אַזוי הייס אין דרויסן, אַז קינדער פֿאַלן ווי ________.
3. מאָטל לויפֿט אַהיים מיטן ________ צען מאָל אַ טאָג.
4. אליה קוקט אַרײַן אין פֿאַס און גיסט צו נאָך אַ פּאָר ________ וואַסער.
5. מאָטל איז זיך ________, אַז ער האָט אָפּגעטאָן אַ ________.
6. כמעט אַלע טעג גיט מאָטל פּעסיען אַ ________ פֿון דעם געטראַנק.
7. ער גיט דעם בלינדן פֿעטער אויך אַ ________ קוואַס צו ________.
8. ער גיט אַלעמען קוואַס ________, אָן אַ קאָפּעקע געלט.
9. אויף יעדן ________ קוואַס וואָס מאָטל גיט אַוועק אומזיסט, ________ ער אַרײַן צוויי גלעזלעך וואַסער.
10. ווען אליה אָדער ברכה טרינקען אויס אַ פּאָר גלעזלעך קוואַס, ________ זיי באַלד אַרײַן אַ ביסל וואַסער.
11. זיי ________ ניט קיין טראָפּן, ווײַל זיי ________ אַלע מאָל אַרײַן וואַסער.
12. אין שטוב האָט זיך ________ אַ טישל.
13. אויף שבת האָבן זיי ווײַסע ________, פֿיש און פֿלייש.
14. אויף יום־טובֿ האָט מען צוגעזאָגט מאָטלען נײַע ________.

שטיוועלער	פֿענצטער	אומזיסט	מודה
קוילעטשן	טויער	גיסט	פֿאַרזוכן
גלעזל	קרוג	באַוויזן	עצה
עמער	פֿאַרלירן	גיסן	פֿאַלן
פֿליגן	שפּיגל		

ה

הערט אַ מעשׂה! איין מאָל בין איך אַרײַן מיטן קרוג צו אונדזער שכנה פּעסיע. אַלע האָבן גענומען צו גלעזלעך קוואַס, און איך אַליין אויך מיט זיי. **אויסגערעכנט** אַז עס פֿעלט מיר **אַ** גלעזלעך צוועלף־דרײַצן געטראַנק, בין איך אַרײַן אין הויז, דאָרטן ווו דאָס וואַסער שטייט בײַ זיי. **אַנשטאָט** דעם עמער מיט וואַסער האָב איך אַ פּנים געטראָפֿן צו דער **באַליע**, ווו מע וואַשט קליידער און אַרײַנגעגאָסן אַ פֿופֿצן־צוואַנציק גלעזער צו מיר אין קרוג אַרײַן, און בין אַוועק אין גאַס אַרײַן מיט אַ נײַעם ניגון:

יִידן אַ געטראַנק!
טעם־גן־עדן!
אַזאַ יאָר אויף מיר,
אויף אײַך און אויף אונדז ביידן!

שטעלט מיך **אָפּ** אַ ייִד, באַצאָלט מיר אַ קאָפּעקע און ער הייסט זיך **אָנגיסן** אַ גלעזל קוואַס. ער טרינקט אויס דאָס גאַנצע גלאָז און **פֿאַרקרימט** זיך.

– ייִנגעלע! וואָס איז דאָס בײַ דיר פֿאַר אַ געטראַנק?

עס שטייען נאָך צוויי ייִדן. איינער **זופּט אָפּ** אַ האַלבע גלאָז,

דער אַנדערער אַ דריטל. זיי **באַצאָלן**, **שפּײַען אויס** און גייען אַוועק. נאָך איינער פֿאַרזוכט און זאָגט, אַז עס שמעקט מיט זייף און ס׳איז **געזאַלצן**.

– וואָס איז דאָס בײַ דיר?

– אַזאַ געטראַנק, – זאָג איך.

– אַ געטראַנק? – זאָגט ער צו מיר. – **אַ געשטאַנק**, נישט קיין געטראַנק!

איינער גייט צו, פֿאַרזוכט און טוט אַ גיס אויס דאָס גלאָז גלײַך מיר אין פּנים אַרײַן. אין אַ מינוט אַרום שטייען אַרום מיר אַ גאַנץ רעדל מיט ייִדן, ווײַבער און קינדער. אַלע רעדן, מאַכן מיט די הענט, **קאָכן** זיך. דערזעט אַ יונג, גייט ער צו און פֿרעגט, וואָס איז דאָ? דערציילט מען אים. גייט ער און קוקט אַרײַן צו מיר אין קרוג אַרײַן און הייסט זיך געבן פֿאַרזוכן. גיס איך אים אָן אַ גלעזל קוואַס. דער יונג טרינקט אָפּ און שפּײַט אויס און ווערט זייער אין כּעס.

„ווו האָסטו דאָס גענומען?״ – פֿרעגט ער מיך.

– ווו האָסטו דאָס גענומען? – פֿרעגט ער מיך.

– דאָס איז פֿון אַ בוך, – זאָג איך אים. – מײַן ברודערס אַרבעט. מײַן ברודער אַליין מאַכט דאָס.

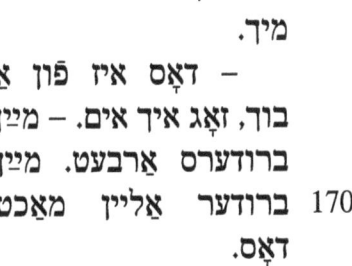

– ווער איז דײַן ברודער? – פֿרעגט ער מיך.

– מײַן ברודער אליה, – זאָג איך אים.

– וואָסער אליהו? – פֿרעגט ער מיך.

– דבר נישט, דו נאַריש ייִנגל, אויף דײַן אָחי! – זאָגן צו מיר עטלעכע ייִדן מיט אַ מאָל.

עס ווערט אַ טומל. אַלע מינוט קומען צו נײַע מענטשן. דער יונג האַלט מיך פֿאַר אַ האַנט און וויל אונדז אָפּפֿירן (מיך מיטן געטראַנק) גלײַך אין פּאָליציי אַרײַן. דער טומל ווערט נאָך גרעסער: „אַ יתום, נעבעך, אַ יתום!" – הער איך פֿון אַלע זײַטן. רופֿט זיך אָן צו מיר איינער אַן אַלטער ייִד:

– מאָטל! אַנטלויף!

איך טו זיך אַ רײַס אויס, נעם די פּיס אויף די פּלייצעס און מאַרש אַהיים! נישט טויט, נישט לעבעדיק, פֿאַל איך אַרײַן אין שטוב אַרײַן.

– ווו איז דער קרוג? – פֿרעגט מיך מײַן ברודער אליה.

– אין פּאָליציי! – ענטפֿער איך אים און פֿאַל צו צו דער מאַמען מיט אַ געוויין.

having figured out/calculated	אויסגערעכנט (אויסרעכענען)
about, approximately	אַ
instead of	אַנשטאָט
washtub	די באַליע
very delicious (*lit.* "taste of paradise")	טעם־גן־עדן [טאַם־גאַנײדן]
I swear it's good (*lit.* "such a year on (me)")	אַזאַ יאָר אויף (מיר)
stops (me)	שטעלט (מיך) אָפּ (אָפּשטעלן)
pour (liquid) *perf.*, serve (drinks), fill (glass *etc.*)	אָנגיסן
makes a sour face	פֿאַרקרימט זיך (פֿאַרקרימען זיך)
finishes sipping	זופּט אָפּ (אָפּזופּן)
pay	באַצאָלן

שפּײַען אויס (אויסשפּײַען)	spit out
די/דאָס זייף	soap
געזאַלצן	salty
דאָס געשטאַנק	stench
דאָס רעדל	small group, gathering
קאָכן זיך	fume, are excited
דער יוון [יאָוון]	Russian or Ukrainian soldier or policeman
דבר [דאַבער] (דברן) [דאַבערן] אויף	talk ill of, inform on *(instead of* רעדן *the man uses the less common Hebrew origin word so the policeman won't understand)*
דער אָחי [אָכי]	brother *(Hebrew origin word, used as above)*
אָפּפירן	take/lead (to one's destination); march someone off
די פּאָליציי	police; police station
דער טומל	noise, stir
נעם די פֿיס אויף די פּלייצעס (נעמען די פֿיס אויף די פּלייצעס)	get out of there quickly (*lit.* "take my feet on my shoulders")
נישט טויט, נישט לעבעדיק	more dead than alive (*lit.* "not dead, not alive")
דאָס געוויין	crying, lament

געניטונגען

I. פֿאָרט צונויף דעם טוער מיט די טוונגען. שטעלט די ריכטיקע נומערן לעבן דעם טוער. שרײַבט איבער דעם זאַץ אָדער לייענט אים איבער אויף אַ קול.

קאַפּיטל 4: מײַן ברודער אליהס געטראַנק

מאָטל	1.טרינקט אָפּ, שפּײַט אויס און ווערט אין כּעס.
	2. האָט באַצאָלט אַ קאָפּעקע און געהייסן זיך אָנגיסן אַ גלעזל קוואַס.
פּעסיעס משפּחה	3. האָט געטראָפֿן ניט צום עמער מיט וואַסער נאָר צו דער באַליע ווו מע וואַשט קליידער.
	4. באַצאָלן, שפּײַען אויס און גייען אַוועק.
אַ ייִד	5. איז אַוועק אין גאַס מיטן קרוג און געזונגען מיט אַ נײַעם ניגון.
	6. קוקט אַרײַן אין קרוג און הייסט זיך געבן פֿאַרזוכן.
	7. האָבן אַלע גענומען צו גלעזלעך קוואַס.
	8. פֿרעגט מאָטלען, ווו ער האָט גענומען דאָס געטראַנק.
	9. פֿרעגט מאָטלען, ווו דער קרוג איז.
ייִדן אין גאַס	10. האָט אויסגערעכנט, אַז עס פֿעלט אים אַ גלעזלעך צוועלף־דרײַצן געטראַנק.
	11. טרינקט אויס דאָס גאַנצע גלאָז און פֿאַרקרימט זיך.
	12. פֿאַלט אַרײַן אין שטוב, נישט טויט, נישט לע־בעדיק.
דער יוון	13. רעדן, מאַכן מיט די הענט און קאָכן זיך.
	14. זאָגן, אַז מאָטל איז אַ יתום, נעבעך אַ יתום.
	15. זאָגט, אַז מאָטלס קוואַס איז נישט קיין געטראַנק, נאָר אַ געשטאַנק.
אליהו	16. זאָגן, אַז מאָטל זאָל נישט דברן אויף זײַן אָחי.
	17. וויל מאָטלען אָפּפֿירן גלײַך אין פּאָליציי אַרײַן.

מיר האָבן זיך גענומען צעגיסן די טינט אין פֿלעשער.

קאַפּיטל 5

מיר פֿאַרפֿלייצן די וועלט מיט טינט

א

אוי, בין איך געווען אַ נאַר! דערפֿאַר וואָס איך האָב פֿאַרקויפֿט נישט אַזאַ גוטן קוואַס, האָב איך געמיינט, אַז מע וועט מיך **קעפּן**! צום סוף – גאָרנישט. מײַן ברודער אליה **פֿאַלט נישט אַראָפּ בײַ זיך**. אַבי ער האָט דאָס בוך פֿאַר אַ רובל הונדערט! איז אים גוט. ער זיצט און לערנט עס אויף אויסנווייניק. דאָרטן זײַנען דאָ **אָן אַ שיעור** רעצעפּטן, ווי מע מאַכט טינט, ווי אַזוי מע מאַכט שוואַקס, ווי אַזוי מע **טרײַבט אַרויס** מײַז, **טאַראַקאַנעס** און אַנדערע מיאוסקייטן. ער רעכנט זיך **נעמען** צו טינט. טינט, זאָגט ער, איז אַ גוטער אַרטיקל.

ס׳איז הײַנט, זאָגט ער, אַ קלוגע וועלט. אַלע לערנען זיך שרײַבן. ער פֿרעגט בײַ ייִדל דעם שרײַבער, וויפֿל טינט גייט אַוועק בײַ אים. זאָגט ער: זייער אַ סך! ייִדל דער שרײַבער האָט אפֿשר זעכציק מיידלעך, וואָס ער לערנט זיי שרײַבן. ייִנגלעך לערנען נישט בײַ אים. מע האָט פֿאַר אים מורא. ער שלאָגט ייִנגלעך. מיידלעך קען מען ניט שלאָגן.

פֿאַרפֿלייצן	flood
קעפּן	chop someone's head off
פֿאַלט אַראָפּ בײַ זיך (אַראָפּפֿאַלן)	lose heart, give up (*lit.* "fall down in the eyes of oneself")
אָן אַ שיעור [שיִער]	without limit
טרײַבט אַרויס (אַרויסטרײַבן)	expels, chases out
די טאַראַקאַנעס (דער טאַראַקאַן)	cockroaches

די מיאוסקייטן [מיִעסקייטן]	things ugly/loathsome
(די/דאָס מיאוסקייט) [מיִעסקייט]	
זיך נעמען (צו)	take up, get down to
דער אַרטיקל	commodity, something to sell
דער שרײַבער	writer, *here,* writing teacher

געניטונגען

I. ענטפֿערט אויף יעדער פֿראַגע אין אַ פֿולן זאַץ.

1. פֿאַר וואָס האָט מאָטל געמיינט, אַז מע וועט אים קעפּן?
2. צי האָט מען אים געקלעפּט?
3. פֿאַר וואָס פֿאַלט אליה נישט אַראָפּ בײַ זיך?
4. וואָס לערנט אליה אויף אויסנווייניק?
5. וואָס איז דאָ אין דעם בוך?
6. וואָס פֿאַר אַ רעצעפּטן זײַנען דאָ אינעם בוך?
7. צו וואָס רעכנט אליה זיך צו נעמען?
8. וואָס טוען אַלע הײַנט, לויט אליהן?
9. וויפֿל מיידלעך לערנען זיך שרײַבן בײַ ייִדל דעם שרײַבער?
10. פֿאַר וואָס לערנען זיך נישט קיין ייִנגלעך בײַ אים?

ב

מײַן ברודער אליה זאָגט, אַז די וועלט איז געוואָרן אַנדערש. אַ מאָל אַז מע פֿלעגט מאַכן טינט איז געווען אַ גאַנצער טאַרעראַם! הײַנט זאָגט ער, קויף איך אין דער אַפּטייק אַ „פּראָשיק" מיט אַ פֿלעשל „גליצערינע", מיש דאָס אויס מיט וואַסער, שטעל עס אויפֿן פֿײַער – און פֿאַרטיק טינט. אַזוי זאָגט מײַן ברודער אליה.

ער איז אַוועק אין דער אַפּטייק און האָט געבראַכט אַ סך

„פּראָשקעס״ און „גליצערינע״ אַ גאַנצע פֿלאַש. נאָך דעם איז ער אַרײַן אין אַלקער און האָט עפּעס געטאָן. וואָס – ווייס איך נישט. ס׳איז אַ סוד. אַלצדינג איז בײַ אים אַ סוד. די „פּראָשקעס״ מיט דער „גליצערינע״ האָט ער אויסגעמישט אין אַ גרויסן **טאָפּ** (אַ נײַעם טאָפּ געקויפֿט). דעם טאָפּ האָט ער אַרײַנגעשטעלט אין אויוון אַרײַן און האָט געבעטן די מאַמע **שטילערהייט**, זי זאָל גוט **פֿאַרקייטלען** די טיר. מיר האָבן אַלע געמיינט ווער ווייסט וואָס.

נאָך דעם האָט ער אַרײַנגעבראַכט אין שטוב אַרײַן דאָס פֿעסל פֿון קוואַס. נאָך דעם האָט ער אַרײַנגעגאָסן דאָס **געמישעכץ** אין פֿעסל אַרײַן. נאָך דעם האָט ער אָנגעהויבן גיסן אין פֿעסל אַרײַן וואַסער. אַז דאָס פֿעסל איז געוואָרן האַלב **אָנגעפֿילט** האָט מײַן ברודער אליה אַ זאָג געטאָן: „גענוג!״ ער האָט געהייסן שטילערהייט, מע זאָל אים ברענגען אַ פֿען מיט אַ ווײַסן **בויגן** פּאַפּיר. **אײַנגעטונקען** די פֿען אין פֿאַס און געגעבן אַ שרײַב עפּעס אויפֿן ווײַסן פּאַפּיר. ער האָט געוויזן דער מאַמען און דערנאָך מײַן שוועגערין ברכה. די ביידע האָבן געגעבן אַ קוק אין פּאַפּיר אַרײַן און אַ זאָג צו אים:

– סע שרײַבט!

באַלד נאָך דעם האָט מען אָנגעגאָסן נאָך אַ פּאָר עמער וואַסער. מײַן ברודער אליה האָט אויפֿגעהויבן די האַנט: „גענוג!״ **ווידער אַ מאָל** אײַנגעטונקען די פֿען אין פֿאַס, ווידער אַ מאָל געגעבן אַ שרײַב אַרײַן אין ווײַסן פּאַפּיר אַרײַן און ווידער אַ מאָל געוויזן דער מאַמען און נאָך דעם מײַן שוועגערין ברכה. די ביידע האָבן ווידער געגעבן אַ קוק אַרײַן אין פּאַפּיר אַרײַן און אַ זאָג:

– סע שרײַבט!

אָט אַזוי, עטלעכע מאָל, ביז דאָס פֿאַס איז געוואָרן פֿול. **דעמאָלט** האָט מײַן ברודער אליה געגעבן אַ הייב אויף די האַנט: „גענוג!״

די מאַמע און ברכה האָבן געגעבן אַ קוק אין
פּאַפּיר אַרײַן און אַ זאָג צו אליהן: – סע שרײַבט!

דער טאַרעראַם	tumult, commotion
די גליצערינע	glycerine
פֿאַרטיק	ready, finished
דער טאָפּ	pot
שטילערהייט	quietly
פֿאַרקייטלען	lock with a chain
דאָס געמישעכץ	mixture
אָנגעפֿילט (אָנפֿילן)	filled up
דער בויגן	sheet (of paper)
אײַנגעטונקען (אײַנטונקען)	dipped in
ווידער (אַ מאָל)	(over) again, once more
דעמאָלט	then

געניטונגען

I. ענטפֿערט ריכטיק אָדער נישט־ריכטיק אויף די פֿראַגעס. אויב דער ענטפֿער איז נישט־ריכטיק שרײַבט דעם ריכטיקן ענטפֿער.

1. אליה זאָגט, אַז מאַכן טינט איז געווען און איז נאָך אַלץ אַ גאַנצער טאַראַראַם.
2. צו מאַכן הײַנט טינט קויפֿט מען אַ „פּראָשיק" מיט אַ פֿלעשל „גליצערינע".
3. אליה האָט פֿון אַפּטייק געבראַכט אַ סך „פּראָשקעס" און „גליצערינע" אַ גאַנץ פֿאַס.
4. מאָטל ווייסט נישט וואָס אליה האָט געטאָן אין אַלקער, ווײַל ס'איז אַ סוד.
5. אליה האָט אַרײַנגעשטעלט אין אויוון אַרײַן אַ טאָפּ מיט די „פּראָשקעס" און „גליצערינע".
6. די מאַמע האָט שטילערהייט געבעטן אליהן, ער זאָל גוט פֿאַרקייטלען די טיר.
7. אליה האָט אַרײַנגעגאָסן דאָס געמישעכץ אין פֿעסל אַרײַן און נאָך דעם האָט ער אַרײַנגעבראַכט דאָס פֿעסל אין שטוב אַרײַן.

8. אַליה האָט געהייסן שטילערהייט, מע זאָל אים ברענגען אַ פּען מיט אַ ווײַסן בויגן פּאַפּיר.
9. מאָטלס שוועגערין ברכה האָט אײַנגעטונקען די פּען אין פּאַס און עפּעס געשריבן אויפֿן ווײַסן פּאַפּיר.
10 . די מאַמע, ברכה און מאָטל האָבן געגעבן אַ קוק אין פּאַפּיר אַרײַן און געזאָגט: – סע שרײַבט!
11. באַלד נאָך דעם האָט מען אָנגעגאָסן נאָך אַ פּאָר עמער וואַסער.
12. עטלעכע מאָל האָט אליה אײַנגעטונקען די פּען אין פּאַס, געגעבן אַ שרײַב אין פּאַפּיר אַרײַן און געוויזן דער מאַמען און ברכהן, ביז דאָס פּאַס איז געוואָרן פּול.
13. ווען דאָס פּאַס איז געוואָרן פֿול האָט אַליה געגעבן אַ הייב אויף די האַנט און אַלע האָבן געזאָגט: „גענוג".

II. שפּילט אויס די סצענע ווי אליה מאַכט טינט.

ג

מיר האָבן זיך גענומען **צעגיסן** די טינט אין פּלעשער. פּלעשער האָט מײַן ברודער אליה געבראַכט פֿון דער גאַנצער וועלט. **אַלערליי** פּלעשער און פּלעשלעך. גרויסע און קליינע. פּלעשער פֿון ביר, פּלעשער פֿון ווײַן, פּלעשער פֿון קוואַס, פּלעשער פֿון **בראָנפֿן**, און **גלאַט** פּלעשער. ער האָט ווידער **אײַנגערוימט** דער מאַמען אַ **סוד**, זי זאָל **פֿאַרקייטלען** די טיר. נאָך דעם האָבן מיר זיך אַלע פֿיר גענומען צו דער אַרבעט.

אַן אַרבעט איז דאָס זייער אַ **ווילע**, אַ פֿריילעכע. איין **חסרון** נאָר: ס'איז טינט – עס **פֿלעקט** די פֿינגער, די הענט, די נאָז, דאָס גאַנצע פּנים. מיר ביידע, איך און מײַן ברודער אליה, האָבן זיך געמאַכט שוואַרץ ווי די **שדים**. דאָס ערשטע מאָל זע איך, מײַן

מאַמע זאָל לאַכן. מײַן שוועגערין ברכה האָט **שיִער נישט גע־פּלאַצט** פֿאַר געלעכטער. מײַן ברודער אליה האָט פֿײַנט אַז מע לאַכט פֿון אים, ווערט ער אין כּעס אויף מײַן שוועגערין ברכה, און פֿרעגט זי, וואָס זי לאַכט. לאַכט זי נאָך שטאַרקער. ווערט ער נאָך מער אין כּעס, לאַכט זי נאָך שטאַרקער. ביז די מאַמע בעט זיי: „גענוג" און זאָגט אונדז מיר זאָלן **זיך אײַנוואַשן.**

פֿלעשער האָט מײַן ברודער אליה געבראַכט פֿון דער גאַנצער וועלט. אַלערליי פֿלעשער און פֿלעשלעך.

מײַן ברודער אליה האָט אָבער קיין צײַט נישט. ער טראַכט נישט וועגן וואַשן זיך, ער טראַכט וועגן די פֿלעשער. שוין נישטאָ קיין פֿלעשער. ווו קריגט מען נאָך פֿלעשער? ער **רופֿט אָפּ** מײַן שוועגערין ברכה **אויף אַ זײַט**, גיט איר געלט און רוימט איר אײַן אַ סוד, זי זאָל גיין קויפֿן פֿלעשער. זי קוקט אים אין פּנים אַרײַן און לאַכט. ווערט ער אין כּעס און רוימט אײַן דער מאַמען דעם זעלבן סוד. די מאַמע גייט אַוועק קויפֿן פֿלעשער, און מיר נעמען זיך גיסן וואַסער אין פֿאַס אַרײַן – **ביסלעכווײַז**. נאָך יעדן עמער וואַסער טוט ער אַ הייב אויף די האַנט און אַ זאָג צו זיך אַליין: „גענוג!" נאָך דעם טוט ער אַ **טונק אײַן** די פּען אין פֿאַס און אַ שרײַב אַרײַן אין ווײַסן פּאַפּיר אַרײַן און אַ זאָג צו זיך אַליין:

– סע שרײַבט!

און אַזוי עטלעכע מאָל ביז די מאַמע קומט צו גיין מיט אַ

נײַעם טראַנספּאָרט פֿלעשער. מיר נעמען זיך ווידער צו דער אַרבעט, גיסן טינט פֿון פֿאַס אין פֿלאַש. ביז מיר בלײַבן ווידער אָן פֿלעשער.

pour into small containers	צעגיסן
all sorts of	אַלערלײ
liquor, whisky	דער בראָנפֿן
just, simply	גלאַט
whispered (a secret)	אײַנגערוימט אַ סוד [סאָד] (אײַנרוימען אַ סוד)
good, nice	ווויל־ע
fault, drawback	דער חסרון [כיסאָרן]
stains	פֿלעקט (פֿלעקן)
devils, demons	די שדים [שײדים] (דער שד) [שעד]
nearly, almost	שיִער נישט
burst	געפּלאַצט (פּלאַצן)
wash all round	זיך אײַנוואַשן (אײַנוואַשן זיך)
take someone aside (for a talk)	רופֿט אָפּ אויף אַ זײַט (אָפּרופֿן אויף אַ זײַט)
little by little	ביסלעכווײַז
dip in	דער טונק אײַן
shipment	דער טראַנספּאָרט

געניטונגען

I. פֿאָרט צונויף דעם טוער מיט די טוּונגען. שטעלט די ריכטיקע ציפֿערן לעבן דעם טוער. שרײַבט איבער דעם זאַץ אָדער לייענט אים איבער אויף אַ קול.

מאָטל	1. האָט געבראַכט פֿלעשער פֿון דער גאַנצער וועלט.
	2. האָבן גענומען צעגיסן די טינט אין פֿלעשער.
אליה, ברכה, מאָטל, די מאַמע	3. האָט אײַנגערוימט דער מאַמען אַ סוד, זי זאָל פֿאַר־קייטלען די טיר.
	4. פֿלעקט די פֿינגער, די הענט, די נאָז, דאָס גאַנצע פּנים.
	5. זעט צום ערשטן מאָל, די מאַמע זאָל לאַכן.
	6. ווערט צעגאָסן אין אַלערליי פֿלעשער און פֿלעשלעך.
	7. האָט זיך געמאַכט שוואַרץ פֿון דער טינט.
אליה	8. האָט שיִער נישט געפּלאַצט פֿאַר געלעכטער ווען זי האָט געזען אַז מאָטל און אליה זײַנען שוואַרץ ווי די שדים.
די מאַמע	9. האָט פֿײַנט, װאָס מע לאַכט פֿון אים.
די שװעגערין ברכה	10. לאַכט נאָך שטאַרקער ווען אליה ווערט אין כּעס.
	11. זאָגט, װאָס זיי זאָלן זיך אײַנװאַשן.
די טינט	12. טראַכט נישט וועגן וואַשן זיך, נאָר טראַכט וועגן די פֿלעשער.
	13. קוקט אליהן אין פּנים אַרײַן, לאַכט און גייט נישט קויפֿן קיין פֿלעשער.
	14. גייט אַװעק קויפֿן פֿלעשער.
	15. טוט אַ טונק אײַן די פּען אין פֿאַס און אַ שרײַב אַרײַן אין פּאַפּיר און אַ זאָג צו זיך אַליין: – סע שרײַבט!
	16. קומט צו גיין מיט אַ נײַעם טראַנספּאָרט פֿלעשער.

ד

וויפֿל טינט מיר האָבן – קען איך אײַך נישט זאָגן. אפֿשר טויזנט פֿלעשער! ס׳איז נישטאָ ווו זיי **אַהינצוטאָן**.

מײַן ברודער אליה איז געוועזן שוין **אומעטום**. פֿאַרקויפֿן **לאַחדים** – איין פֿלעשל מיט אַ מאָל – איז נישט קיין פּלאַן. אַזוי זאָגט מײַן ברודער אליה צו אונדזער שכנהס מאַן, משה דעם אײַנבינדער. אַז ער איז אַרײַנגעקומען און דערזען אַזוי פֿיל פֿלעשער, האָט ער זיך דערשראָקן. עס קומט פֿאָר צווישן די צוויי אַ מאָדנער שמועס. איך גיב אײַך איבער דאָ דעם שמועס וואָרט בײַ וואָרט:

אליה: וואָס האָט איר זיך אַזוי דערשראָקן?

אײַנבינדער: וואָס איז בײַ דיר אין די פֿלעשער?

אליה: וואָס זאָל זײַן? ווײַן!

אײַנבינדער: וואָסער ווײַן? ס׳איז דאָך טינט!

אליה: הײַנט וואָס זשע פֿרעגט איר?

אײַנבינדער: וואָס וועסטו טאָן מיט אַזוי פֿיל טינט?

אליה: טרינקען.

אײַנבינדער: ניין. איך מיין **אָן קאַטאָוועס**. וועסטו פֿאַרקויפֿן לאַחדים אויך?

אליה: וואָס בין איך, אַ משוגענער? אַז פֿאַרקויפֿן, וועל איך פֿאַרקויפֿן צען פֿלעשער, צוואַנציק פֿלעשער, פֿופֿציק פֿלעשער. דאָס ווערט אָנגערופֿן „הורט“. איר ווייסט, וואָס הייסט „הורט“?

אײַנבינדער: איך ווייס, וואָס הייסט הורט. וועמען וועסטו פֿאַרקויפֿן?

אליה: וועמען? דעם רבֿ!

און מײַן ברודער אליה גייט אַוועק צו די קרעמער. געקומען

אַז משה דער אײַנבינדער איז אַרײַנגעקומען און
דערזען אַזוי פֿיל פֿלעשער, האָט ער זיך דערשראָקן.

צו איינעם, אַ גרויסן **הורטאָווניק**, הייסט ער זיך ברענגען אַ פֿלעשל. ער וויל עס אָנקוקן. אַן אַנדערן האָט ער געבראַכט אַ פֿלאַש טינט, וויל ער נישט נעמען אין די הענט אַרײַן, ווײַל ס'איז אָן אַ **קוויטל**. אויפֿן פֿלעשל דאַרף זײַן אַ שיין קוויטל. זאָגט אים מײַן ברודער אליה: „איך מאַך נישט קיין קוויטלעך, איך מאַך טינט".

גייט ער צו ייִדל דעם שרײַבער. האָט אים ייִדל דער שרײַבער געזאָגט, ער האָט שוין **אָנגעקויפּט** טינט אויף אַ גאַנצן זומער. פֿרעגט אים מײַן ברודער אליה: „וויפֿל פֿלעשער טינט האָט איר געקויפּט?" זאָגט אים ייִדל דער שרײַבער: „פֿלעשער? איך האָב געקויפּט אַ פֿלעשל טינט, וועל איך **האָבן און האָבן**, ביז עס וועט **אויסגיין**, וועל איך קויפֿן נאָך אַ פֿלאַש..."

פֿריִער האָט ער געזאָגט אַז אויף טינט גייט בײַ אים אַוועק אַ **פֿאַרמעגן**; איצט קויפֿט ער אַ פֿלאַש טינט, וועט ער האָבן און האָבן!...

מײַן ברודער אליה ווייסט נעבעך נישט, וואָס זאָל ער טאָן מיט אַזוי פֿיל טינט? ער וועט שוין אָנהייבן, זאָגט ער, פֿאַרקויפֿן לאַחדים. איך וואָלט שוין געוואָלט וויסן, וואָס הייסט „לאַחדים"? אָט וואָס „לאַחדים" הייסט. איר מעגט דאָס הערן.

אַהי̇נצוטאָן (אַהי̇נטאָן)	put (in no definite place)
אומעטו̇ם	everywhere
לאַחדים [לאַכאָ̇דים]	(at) retail
זיך דערשראָ̇קן (דערשרע̇קן זיך)	was frightened
הײַנט	if so (*before an interrogative pronoun or adverb*)
אָן קאַטאָ̇וועס	no joke, seriously
הורט	wholesale
די קרע̇מער(ס) (דער קרע̇מער)	shopkeepers
דער הורטאָ̇וניק	wholesaler
דאָס קווי̇טל	tag, label
אָנגעקויפֿט (אָ̇נקויפֿן)	bought in quantity
האָבן און האָבן	have for a long time (*lit.* "have and have")
אוי̇סגיין	run out
דאָס פֿאַרמע̇גן	vast sum, fortune

געניטונגען

I. קלײַבט אויס דעם פּאַסיקן טייל אויף צו מאַכן אַ ריכטיקן זאַץ. עס קענען זײַן עטלעכע מעגלעכקייטן. דערשרײַבט דעם זאַץ אָדער לייענט אים אויף אַ קול.

1. מאָטל זאָגט, אַז

א) ער קען אונדז נישט זאָגן, וויפֿל טינט זיי האָבן.

ב) ער קען אונדז יאָ זאָגן, וויפֿל טינט זיי האָבן.

ג) זיי האָבן אפֿשר טויזנט פֿלעשער.

ד) זיי האָבן אָרט אויף אַלע פֿלעשער.

2. ווען משה דער איינבינדער האָט דערזען די פֿלעשלעך

א) האָט ער זיך דערשראָקן.

ב) האָט ער געזאָגט, אַז ער וויל קויפֿן אַ פֿלעשל טינט.

ג) האָט ער געהאַט אַ מאָדנעם שמועס מיט אליהן.

3. אליה זאָגט, אַז

א) ס'איז דאָ ווײַן אין די פֿלעשער.

ב) משה זאָל הײַנט נישט פֿרעגן וועגן די פֿלעשער.

ג) ער וועט טרינקען די טינט.

4. משה דער אײַנבינדער

א) וויל, אַז אליה זאָל רעדן אָן קאַטאָוועס.

ב) פֿרעגט, אויב אליה וועט פֿאַרקויפֿן די טינט לאַחדים.

ג) זאָגט אליהן, ער זאָל פֿאַרקויפֿן די טינט לאַחדים.

5. אליה זאָגט, אַז

א) מע דאַרף זײַן אַ משוגענער צו פֿאַרקויפֿן אַזוי פֿיל טינט לאַחדים.

ב) ער וועט פֿאַרקויפֿן הורט.

ג) ער האָט שוין פֿאַרקויפֿט פּופֿציק פֿלעשער.

6. אליה

א) וועט טאַקע פֿאַרקויפֿן די טינט דעם רבֿ.

ב) וואַרט, אַז די קרעמער זאָלן קומען קויפֿן בײַ אים.

ג) איז געגאַנגען צו אַ גרויסן הורטאָווניק.

7. דער הורטאָווניק

א) וויל אָנקוקן אַ פֿלאַש.

ב) זאָגט, אַז אויפֿן פֿלעשל דאַרף זײַן אַ שיין קוויטל.

ג) וויל אָנקוקן אַ פֿלעשל, ווײַל דאָס קוויטל איז שיין.

8) ייִדל דער שרײַבער
א) האָט שוין אָנגעקויפֿט טינט אויף אַ גאַנצן זומער.
ב) זאָגט, אַז זײַן טינט וועט באַלד אויסגיין.
ג) דאַרף ניט אַזוי פֿיל טינט ווי ער האָט פֿריִער געזאָגט.

9) אליה
א) ווייסט נישט, וואָס צו טאָן מיט אַזוי פֿיל טינט.
ב) וועט באַלד אָנהייבן פֿאַרקויפֿן הורט.
ג) וועט באַלד אָנהייבן פֿאַרקויפֿן לאַחדים.
ד) וועט איצט מאַכן שיינע קוויטלעך.

ה

מײַן ברודער אליה האָט געבראַכט אַ גרויסן בויגן פּאַפּיר און האָט אָנגעשריבן מיט גרויסע סידור־אותיות:

דאָ פֿאַרקויפֿט מען טינט
הורט און לאַחדים,
גוט און וואָלוול.

ער האָט דאָס פּאַפּיר אויסגעהאָנגען בײַ אונדז אויף דער טיר. אַ סך מענטשן האָבן זיך אָפּגעשטעלט קוקן. איך האָב עס געזען דורכן פֿענצטער. מײַן ברודער אליה מאַכט צו מיר:

– ווייסטו וואָס? גיי שטעל זיך אַוועק בײַ דער טיר און הער זיך צו, וואָס זאָגט מען?

מע דאַרף מיך לאַנג נישט בעטן. איך שטעל זיך אַוועק בײַ דער טיר און הער זיך צו, וואָס מע רעדט. דערנאָך קום איך אַרײַן צוריק אין שטוב. מײַן ברודער אליה פֿרעגט מיך שטיל:

– נו?

– וואָס נו?

– וואָס האָבן זיי געזאָגט?

– ווער?

– די מענטשן וואָס זײַנען געגאַנגען פֿאַרבײַ.

– זיי האָבן געזאָגט, אַז עס איז שיין אָנגעשריבן.

– און מער גאָרנישט?

– מער גאָרנישט.

מײַן ברודער אליה **זיפֿצט**. וואָס זיפֿצט ער? די מאַמע פֿרעגט, – וואָס זיפֿצסטו, נאַרעלע? וואַרט, אין איין טאָג ווילסטו **אויספֿאַרקויפֿן** די גאַנצע **סחורה**?

– כאָטש אַן אָנהייב!... – זאָגט איר מײַן ברודער אליה מיט **טרערן** אין **האַלדז**.

– ביסט אַ גרויסער **נאַר**. וואַרט אויס, מײַן קינד, דו ועסט, **אם־ירצה־השם**, האָבן אַן אָנהייב אויך.

אַזוי זאָגט צו אים די מאַמע און גרייט צום טיש. מיר וואַשן זיך און גייען עסן.

אָנגעשריבן (אָנשרײַבן)	wrote down, set down in writing
די סידור־אותיות [סידער־אויסיעס]	big letters in square Hebrew characters, done in calligraphy (*lit.* "prayer book letters")
וואָלוול	cheap
שטעל זיך אַוועק (אַוועקשטעלן זיך)	stand, place yourself
זיפֿצט (זיפֿצן)	sighs
אויספֿאַרקויפֿן	sell out
די סחורה [סכוירע]	stock, goods
די טרערן (די טרער)	tears
דער האַלדז	throat
דער נאַר	fool
אם־ירצה־השם [מירצעשעם/מערטשעם/ אים־ייִרצע־האַשעם]	God willing

געניטונגען

I. שטעלט די זאַצן אין דעם ריכטיקן סדר.

א. די מאַמע זאָגט, אַז אליה וועט, אם־ירצה־השם, האָבן אַן אָנהייב אויך.
ב. אליה האָט אָנגעשריבן אויף אַ בויגן פּאַפּיר, אַז דאָ פֿאַרקויפֿט מען טינט גוט און וואָלוול, הורט און לאַחדים.
ג. מאָטל ענטפֿערט, אַז זיי האָבן געזאָגט, אַז עס איז שיין אָנגעשריבן.
ד. מאָטל שטעלט זיך אַוועק בײַ דער טיר צו הערן וואָס מענטשן זאָגן.
ה. אַלע וואַשן זיך און גייען עסן.
ו. אליה פֿרעגט, וואָס די מענטשן וואָס גייען פֿאַרבײַ זאָגן.
ז. אליה זאָגט, אַז ער וויל כאָטש אַן אָנהייב.
ח. אַ סך מענטשן האָבן זיך אָפּגעשטעלט קוקן אויפֿן פּאַפּיר וואָס אליה האָט אויסגעהאָנגען.
ט. די מאַמע פֿרעגט אליהן, פֿאַר וואָס ער זיפֿצט. ער וועט דאָך נישט פֿאַרקויפֿן די גאַנצע סחורה אין איין טאָג.

II. שפּילט אויס דאָס וואָס די מענטשן אין גאַס זאָגן.

ז

מיר האָבן נאָר וואָס געמאַכט **המוציא**, לויפֿט אַרײַן אַ בחורל. ער איז שוין אַ חתן. איך קען אים. קאָפּל הייסט ער.

– דאָ פֿאַרקויפֿט זיך טינט לאַחדים?
– יאָ, וואָס איז דען?
– איך האָב געוואָלט אַ ביסל טינט.
– וויפֿל דאַרפֿסטו טינט?
– גיט מיר פֿאַר אַ קאָפּעקע טינט.

מײַן ברודער אליה איז **אויסער זיך**. ער זאָל זיך נישט שעמען פֿאַר דער מאַמען, וואָלט ער אָט דעם חתן **דורכגעפּאַטשט** און אַרויסגעוואָרפֿן פֿון שטוב. ער האַלט זיך אײַן און גיסט אים אָן פֿאַר אַ קאָפּעקע טינט. באַלד קומט אַרײַן אַ מיידל.

באַלד קומט אַרײַן אַ מיידל.

– דאָ מאַכט מען טינט?
– יאָ, וואָס איז דען?
– די שוועסטער האָט געבעטן, **טאָמער** קענט איר איר **לײַען** אַ ביסל טינט? זי דאַרף שרײַבן אַ בריוול קיין אַמעריקע צו איר חתן. מײַן שוועסטער האָט געבעטן טאָמער האָט איר אַ פּען, זי וועט נאָר אָנשרײַבן דאָס בריוול קיין אַמעריקע, **גיט** זי אײַך **אָפּ** צוריק די טינט און פּען.

מײַן ברודער אליה איז נישטאָ בײַם טיש. ער איז אין אַלקער. ער גייט אַרום מיט שטילע **טריט**, קוקט אַראָפּ און **בײַסט די נעגל**.

געמאַכט המוציא [האַמויצע] (מאַכן המוציא)	said (*lit.* “made”) the blessing over bread
די המוציא [האַמויצע]	blessing over bread
דאָס בחורל [באָכערל] ♦	boy, lad; young unmarried man
← דער בחור [באָכער]	
דער חתן [כאָסן]	bridegroom (-to-be)
פֿאַרקויפֿט זיך (פֿאַרקויפֿן זיך)	is (being) sold
אויסער זיך	beside oneself, furious
דורכגעפּאַטשט (דורכפּאַטשן)	smacked/spanked

אַרױסגעװאָרפֿן (אַרױסװאַרפֿן)	thrown/kicked out
האַלט זיך אײַן (אײַנהאַלטן זיך)	controls himself
טאָמער	perhaps; in case, in the event
לײַען	lend
גיט אָפּ (אָפּגעבן)	return, give back
די טריט (דער טראָט)	footsteps
בײַסט (בײַסן)	bites
די נעגל (דער נאָגל)	fingernails

געניטונגען

1. פּאָרט צונויף דעם טויער מיט די טוונגען. שטעלט די ריכטיקע ציפֿערן לעבן דעם טויער. שרײַבט איבער דעם זאַץ אָדער לייענט אים איבער אויף אַ קול.

1. דאָס בחור איז	א) אויסער זיך.
2. דאָס בחורל וויל	ב) אַ פּען אויך.
3. אליה איז	ג) שוין אַ חתן.
4. אליה האַלט זיך אײַן און ער	ד) ווי לײַען אַ ביסל טינט.
5. דאָס מיידלס שוועסטער	ה) גיסט אָן דעם ייִנגעלע פֿאַר אַ קאָפּעקע טינט.
6. די שוועסטער דאַרף	ו) שטילע טריט און בײַסט די נעגל.
7. די שוועסטער האָט געבעטן	ז) קויפֿן פֿאַר אַ קאָפּעקע טינט.
8. ווען זי וועט אָנשרײַבן דאָס בריוול וועט זי אָפּגעבן	ח) שרײַבן אַ בריוו קיין אַמעריקע צו איר חתן.
9. אליה גייט אַרום מיט	ט) די טינט און די פּען.

אויף צו להכעיס שײַנט די לבֿנה ווי אַ לאַמטערן.

קאַפּיטל 6

נאָכווייענישן פֿון דער טינט־פֿאַרפֿלייצונג

א

וואָס טוט מען מיט דער טינט? פֿרעגט מײַן ברודער אליה.

– ווידער אַ מאָל טינט? – זאָגט די מאַמע.

– איך רעד נישט פֿון קיין טינט! – ענטפֿערט איר מײַן ברודער אליה.

– איך רעד פֿון די פֿלעשער! עס ליגט אַ קאַפּיטאַל אין די פֿלעשער. מע דאַרף זען אויסליידיקן די פֿלעשער און מאַכן פֿון זיי געלט!...

פֿון אַלצדינג מאַכט ער געלט! און עס בלײַבט, אַז מע דאַרף די טינט אויסגיסן צו אַל די שוואַרצע יאָר! שלעכט איז נאָר איין זאַך: וווהין גיסט מען אויס אַזוי פֿיל טינט? ס׳איז דאָך אַ בזיון!

– מע וועט מוזן צוּוואַרטן ביז בײַ נאַכט. בײַ נאַכט איז פֿינצטער, וועט קיינער נישט זען, – זאָגט מײַן ברודער אליה.

קוים דערלעבט נאַכט. אויף צו להכעיס שײַנט די לבֿנה ווי אַ לאַמטערן. דעמאָלט ווען מע דאַרף, וועט זי זיך באַהאַלטן. איצט איז זי דאָ. אַזוי זאָגט מײַן ברודער אליה, און מיר טראָגן אַרויס אַ פֿלאַש נאָך אַ פֿלאַש – און פֿליוך אין דרויסן אַרויס. פֿון גיסן אין איין אָרט ווערט אַ טײַך. מע דאַרף נישט גיסן כּסדר אויף איין אָרט. איך זוך אויס אַלע מאָל אַ פֿריש אָרט. דעם שכנס וואַנט – פֿליוך! דער שכנהס פּאַרקאַן – פֿליוך! צוויי ציגן ליגן און קוקן אויף דער לבֿנה – פֿליוך!

– גענוג, – זאָגט מײַן ברודער אליה און מיר גייען שלאָפֿן.

שטיל און פֿינצטער. עס לאָזט זיך הערן דער טשירקון. פֿון הינטערן אויוון הערט מען די קאַץ. אין הויז אויף יענער זײַט טיר קען מען הערן שטילע טריט. אפֿשר אַ נישט־גוטער?...

די מאַמע שלאָפֿט נאָך נישט. זי שלאָפֿט, דאַכט זיך, קיין מאָל נישט. איך הער זי שטענדיק, ווי זי **קנאַקט** די פֿינגער, **זיפֿצט** און **קרעכצט** און רעדט צו זיך אַליין. זי דערציילט אירע גרויסע **צרות**. מיט וועמען רעדט זי דאָס? מיט גאָט?... אַלע מינוט לאָזט זי אויס מיט אַ **קרעכץ**:

– אוי, גאָט! גאָט!...

aftermath, (painful) aftereffect	די נאָכווייעניש (**דאָס** נאָכווייעניש)
flood	די פֿאַרפֿלייצונג
capital (funds)	דער קאַפּיטאַל
to the devil (*lit.* "to all the black years")	צו אַל די שוואַרצע יאָר
wait a bit	צוּוואַרטן
lived to see	דערלעבט (דערלעבן)
out of spite	אויף צו להכעיס [צעלאָכעס]
moon	די לבֿנה [לעוואָנע]
lantern	דער לאַמטערן
splash	(דער) פּליוך
constantly	כּסדר [קעסײדער]
fence	דער פּאַרקאַן
goats	די ציגן (די ציג)
can be heard (*lit.* "lets itself be heard")	לאָזט זיך הערן (לאָזן זיך הערן)
cricket	דער טשירקון
behind the	הינטערן = הינטער דעם
demon, evil spirit, ghost (*lit.* "not good one")	דער נישט־גוטער
cracks	קנאַקט (קנאַקן)
sighs	זיפֿצט (זיפֿצן)
groans, moans	קרעכצט (קרעכצן)
troubles	די צרות [צאָרעס] (די צרה) [צאָרע]
groan, moan	דער קרעכץ

מע דאַרף די טינט אויסגיסן
צו אַל די שוואַרצע יאָר!

געניטונגען

I. ענטפֿערט אויף יעדער פֿראַגע אין אַ פֿולן זאַץ.

1. טראַכט אליה וועגן דער טינט אָדער וועגן די פֿלעשער?
2. וואָס דאַרף מען טאָן מיט די פֿלעשער כּדי צו מאַכן געלט?
3. ווי אַזוי קען מען אויסליידיקן די פֿלעשער?
4. ביז ווען מוז מען צוּוואַרטן און פֿאַר וואָס?
5. פֿאַר וואָס זאָגט מאָטל, אַז אויף צו להכעיס שײַנט די לבֿנה ווי אַ לאַמטערן?
6. ווען וועט די לבֿנה זיך באַהאַלטן?
7. פֿון וואָס ווערט אַ טײַך?
8. דאַרף מען כּסדר גיסן די טינט אויף איין אָרט אָדער נישט?
9. וואָס זײַנען די פֿרישע ערטער וואָס מאָטל זוכט אויס?
10. וואָס קען מען הערן?
11. פֿאַר וואָס דאַכט זיך מאָטלען, אַז די מאַמע שלאָפֿט קיין מאָל נישט? וואָס טוט זי?
12. מיט וואָס לאָזט די מאַמע אַלע מאָל אויס?

ב

איך ליג נאָך אויף מײַן **געלעגער**, אויף דער ערד, און הער פֿונעם שלאָף אַ **הו־האַ**. ביסלעכווײַז עפֿן איך אויף די אויגן – עס איז שוין **גרויסער טאָג**. די שײַן פֿון דער זון קומט אַרײַן דורכן פֿענצטער. רופֿט מיך אין דרויסן אַרויס. וואָס איז געווען נעכטן? – **אַהאַ!**? טינט!...

איך כאַפּ מיך אויף און טו זיך גיך אָן. מײַן מאַמע איז **פֿאַרווייִנט** (ווען איז זי נישט פֿאַרווייִנט?), מײַן שוועגערין ברכה איז אין כּעס (ווען איז זי נישט אין כּעס?). און מײַן ברודער אליה שטייט אין מיטן שטוב, דעם קאָפּ אַראָפּ. וואָס איז די מעשׂה?

אונדזערע **שכנים** זײַנען אויפֿגעשטאַנען אין דער פֿרי, האָט זיך אָנגעהויבן אַ **חתונה** – מען האָט זיי **געקוילעט**. מען האָט איינעם **אָפּגעשפּריצט** די גאַנצע וואַנט מיט טינט. דעם אַנדערן האָט מען אָפּגעגאָסן דעם פּאַרקאַן, אַ נײַעם פּאַרקאַן. דער דריטער האָט געהאַט צוויי ווײַסע ציגן, האָט מען זיי געמאַכט שוואַרץ. דאָס אַלץ וואָלט נישט געווען אַזוי שלעכט ווען נישט דעם שוחטס זאָקן. אַ נײַע פּאָר זאָקן, ווײַסע זאָקן, האָט די שוחטטקע **אויסגעהאָנגען** בײַ אונדזער שכנה אויפֿן פּאַרקאַן, האָט מען זיי געמאַכט שוואַרץ. עמעצער האָט זי געבעטן, זי זאָל אויסהענגען זאָקן אויף דער שכנהס פּאַרקאַן?

די מאַמע האָט איר **צוגעזאָגט** קויפֿן אַ נײַע פּאָר זאָקן, ווײַסע זאָקן, אַבי עס זאָל זײַן שטיל. וואָס **זשע** וועט זײַן מיט דער וואַנט? מיטן פּאַרקאַן? ס'איז געבליבן, אַז מײַן מאַמע מיט מײַן שוועגערין ברכה זאָלן זיך **אַוועקשטעלן**ביידע מיט צוויי בערשטלעך און ווײַסער ליים און **פֿאַרשמירן** די פּלעקן.

– אײַער גליק, וואָס איר האָט **אָנגעטראָפֿן** אויף גוטע

שכנים. ווען איר טרעפֿט מיט אײַער טינט אויף מנשה דעם רופֿאס גאָרטן, וואָלט איר געוווּסט וואָס פֿאַר אַ גאָט מיר האָבן!
אַזוי זאָגט אונדזער שכנה פּעסיע צו מײַן מאַמען.
– וואָס זשע מיינט איר? צום שלימזל דאַרף מען אויך האָבן מזל! – ענטפֿערט איר די מאַמע און קוקט אויף מיר.
וואָס מיינט זי?...

דאָס געלעגער	place to sleep
דער הו־האַ	hullabaloo, to-do
דער גרויסער טאָג	broad daylight
אַהאַ!	aha! so! I see!
פֿאַרווייַנט	tearful
די שכנים [שכיינים] **(דער שכן** [שאָכן]**)**	neighbo(u)rs
די חתונה [כאַסענע]	scene, hullabaloo (*lit.* "wedding")
געקוילעט (קוילען)	slaughtered; (*hum.*) ruined
אָפּגעשפּריצט (אָפּשפּריצן)	splashed all over
די שוחטקע [שויכעטקע]	ritual slaughterer's wife
אויסגעהאָנגען (אויסהענגען)	hung out
צוגעזאָגט (צוזאָגן)	promised
זשע	so, then
זיך אַוועקשטעלן	place themselves (vertically); begin working (in standing position)
פֿאַרשמירן	smear over
אָנגעטראָפֿן (אָנטרעפֿן)	happened upon
טרעפֿט (טרעפֿן)	hit, meet
דאָס שלימזל [שלימאַזל]	bad luck, misfortune

געניטונגען

I. שטעלט די זאַצן אין דעם ריכטיקן סדר.

1. דער ברודער אליה שטייט אין מיטן שטוב, דעם קאָפּ אַראָפּ.
2. די שכנים זײַנען נישט צופֿרידן, ווײַל זייערע ווענט, פֿאַרקאַן און ציגל זײַנען שוואַרץ געוואָרן.
3. פּעסיע זאָגט, אַז ס'איז דער מאַמעס גליק וואָס זיי האָבן נישט געטראָפֿן מיט זייער טינט אויף מנשה דעם רופֿאס גאָרטן.
4. די מאַמע האָט דער שוחטקע צוגעזאָגט קויפֿן אַ נײַע פּאָר ווײַסע זאָקן.
5. ווען די שכנים זײַנען אויפֿגעשטאַנען אין דער פֿרי, האָט זיך אָנגעהויבן אַ חתונה.
6. ס'איז געבליבן, אַז די מאַמע און ברכה זאָלן פֿאַרשמירן די פֿלעקן מיט ווײַסער ליים.
7. מאָטל ליגט אויף זײַן געלעגער און הערט אַ הו־האַ.
8. די שוחטקע זאָגט, אַז מען האָט געמאַכט שוואַרץ די ווײַסע זאָקן וואָס זי האָט אויסגעהאָנגען.
9. עס איז שוין גרויסער טאָג און מאָטל פֿרעגט זיך, וואָס איז געווען נעכטן.

II. שפּילט אויס ווי די שכנים רעדן צווישן זיך און דערנאָך מיט דער מאַמען.

ג

— **א**יצט וועל איך שוין זײַן קליגער, — מאַכט צו מיר מײַן ברודער אליה, — אַז עס וועט ווערן נאַכט, וועלן מיר טראָגן די פֿלעשער צום טײַך.

גערעכט, ווי איך בין אַ ייִד! וואָס קען זײַן נאָך קליגער דערפֿון? דאָרט גיסט מען סײַ ווי סײַ אַרײַן אַלצדינג. דאָרט וואַשט מען וועש, דאָרט באָדט מען פֿערד. איך בין מיטן טײַך אַ נאָענטער מחותּן. איך כאַפּ דאָרטן פֿיש.

עס איז נאָר געוואָרן נאַכט, האָבן מיר אָנגעפּאַקט פֿולע קוישן מיט פֿלעשער און גענומען טראָגן זיי צום טײַך. אויסגעגאָסן די טינט, אָפּגעטראָגן די ליידיקע פֿלעשער אַהיים און אָנגענומען ווידער אַ מאָל פֿולע פֿלעשער. אַ גאַנצע נאַכט האָבן מיר אַזוי געאַרבעט. איך האָב שוין לאַנג נישט געהאַט אַזאַ גוטע פֿריילעכע נאַכט.

שטעלט אײַך פֿאָר: די שטאָט שלאָפֿט. דער הימל איז אויסגעשטערנט. ס׳איז שטיל. די לבֿנה שײַנט אַראָפּ אין טײַכל אַרײַן. ס׳איז אַ בזיון, נישט קיין טײַך! איר קענט פֿאַרשטיין, אַז איך קען אים איבערגיין צו פֿוס פֿון ברעג צו ברעג אין די הויזן!

פֿון אונדזער טינט איז דאָס טײַכל געוואָרן אַ ביסל גרעסער. אַ קלייניקייט, אפֿשר טויזנט פֿלעשער טינט! מיר האָבן געאַרבעט ווי די אָקסן. אַנטשלאָפֿן געוואָרן זײַנען מיר, ווי די געהרגעטע. די מאַמע האָט אונדז אויפֿגעוועקט מיט אַ געוויין:

— פֿאַרפֿינצטערט בין איך געוואָרן און וויי איז מײַן וועלט! וואָס האָט איר געטאָן מיטן טײַך?...

עס זעט אויס, אַז מיר האָבן אומגליקלעך געמאַכט אַ גאַנצע שטאָט: די וועשערינס האָבן נישט ווו צו וואַשן וועש. די בעל־

עגלות האָבן נישט ווו אָנצוטרינקען די פֿערד. די וואַסער־פֿירערס... אָט וועלן זיי זיך צונויפֿנעמען אין איינעם און וועלן קומען זיך רעכענען מיט אונדז. אַזוי זאָגט אונדז אָן די מאַמע אַ בשורה. מיר אָבער ווילן אויף זיי נישט וואַרטן. איך און מײַן ברודער אליה נעמען די פֿיס אויף די פּלייצעס און מאַרש צו זײַן חבֿר פּיניע.

– לאָזן זיי אונדז זוכן דאָרט, אַז זיי דאַרפֿן!...

אַזוי זאָגט מיר מײַן ברודער אליה, נעמט מיך פֿאַר אַ האַנט און מיר לאָזן זיך גיך באַרג־אַראָפּ צו זײַן חבֿר פּיניע.

עס זעט אויס, אַז מיר האָבן אומגליקלעך געמאַכט אַ גאַנצע שטאָט.

no kidding, upon my word (*lit.* "as I am a Jew")	ווי איך בין אַ ייִד
anyhow	סײַ ווי סײַ
close, near	נאָענט־ער
relative by marriage, here, *one who is familiar or pretends to be familiar with someone or something*	דער מחותּן [מעכוטן]
packed full, crammed	אָנגעפּאַקט (אָנפּאַקן)
baskets	די קוישן (דער קויש)
poured out	אויסגעגאָסן (אויסגיסן)
carried back	אָפּגעטראָגן (אָפּטראָגן)
imagine	שטעלט אײַך פֿאָר (פֿאָרשטעלן זיך)
full of stars	אויסגעשטערנט
bank, shore	דער ברעג
trifle	די קלייניקייט
a trifle, *i.e.,* "it is no small thing"	אַ קלייניקייט!
oxen	די אָקסן (דער אָקס)
dead (*lit.* "the murdered ones")	די געהרגעטע [געהאַרגעטע] (דער געהרגעטער) [געהאַרגעטער]
awakened, aroused	אויפֿגעוועקט (אויפֿוועקן)
made bitter, darkened	פֿאַרפֿינצטערט
woe is me; my life has become dark/miserable	פֿאַרפֿינצטערט בין איך געוואָרן!
washerwomen	די וועשערינס (די וועשערין)
(wagon) drivers, coachmen	די בעל־עגלות [באַלעגאָלעס] (דער בעל־עגלה) [באַלעגאָלע]
water (animals); make drink	אָנצוטרינקען (אָנטרינקען)
water carriers	די וואַסער־פֿירערס (דער וואַסער־פֿירער)
reckon with; get back at	זיך רעכענען (רעכענען זיך) מיט

„פֿאַרפֿינצטערט בין איך געוואָרן און ווײ איז מײַן וועלט!"

גענײטונגען

I. פֿאַר יעדן זאַץ, שרײַבט צי ער איז ריכטיק אָדער נישט־ריכטיק. אויב אַ זאַץ איז נישט־ריכטיק, שרײַבט אים איבער און בעסערט אים אויס.

1. אליה טראַכט, אַז ס'איז אַ קלוגער פּלאַן אויסצוגיסן די טינט אין טײַך.
2. מאָטל מיינט, אַז ס'איז אַ קלוגער פּלאַן ווײַל מע גיסט סײַ ווי סײַ אַלצדינג אַרײַן אין טײַך.
3. אין טײַך וואַשט מען וועש און מע באָדט אויך פֿערד און ציגן.

4. אליהס מחותּן וווינט נאָענט צום טײַך.
5. אַז ס'איז נאָר געוואָרן נאַכט, האָבן זיי גענומען טראָגן פֿלעשער צום טײַך.
6. זיי האָבן אויסגעגאָסן די טינט און אָפּגעטראָגן די ליידיקע פֿלעשער צום טײַך.
7. זיי האָבן געאַרבעט אַ גאַנצן טאָג.
8. מאָטל האָט געהאַט אַ גוטע פֿרײַלעכע נאַכט.
9. מאָטל זאָגט, אַז דער טײַך איז אַ בזיון, ווײַל מע קען אים אַריבערגיין צו פֿוס פֿון ברעג צו ברעג אין די הויזן.
10. מאָטל זאָגט, אַז טויזנט איז אַ קליינע צאָל פֿלעשער אַרײַנצוגיסן אין טײַכל.
11. מאָטל זאָגט, אַז זיי האָבן שווער געאַרבעט און זײַנען גיך געשלאָפֿן.
12. די מאַמע זאָגט, אַז דער טײַך איז איצט פֿינצטער פֿון טינט.
13. עס זעט אויס, אַז זיי האָבן אומגליקלעך געמאַכט אַ גאַנצע שטאָט.
14. די בעל־עגלות האָבן איצט נישט ווו אָנצוטרינקען די פֿערד און די אָקסן.
15. דער מאַמעס בשׂורה, אַז מע וועט זיך צונויפֿנעמען אין איינעם און קומען זיך רעכענען מיט זיי, איז ניט קיין פֿרײלעכע בשׂורה.
16. מאָטל, אליה און די מאַמע נעמען די פּיס אויף די פּלייצעס און גייען באַרג־אַראָפּ צו אליהס חבֿר פּיניע.
17. אליה וויל, אַז מע זאָל זיי זוכן דאָרט.

די גאַנצע גאַס האַלט אין איין ניסן.

קאַפּיטל 7

אַ גאַס ניסט

א

ווייסט איר וואָס פֿאַר אַ סדרה עס גייט ביַי אונדז היַינט? – מיַיז! מיַין ברודער אליה האָט אַ גאַנצע וואָך געלערנט דאָס בוך, **פֿאַר אַ רובל** – **הונדערט**. ער האָט זיך שוין אויסגעלערנט אַרויסטריַיבן מיַיז, טאַראַקאַנעס און אַנדערע מיאוסקייטן, מיט פּראָשיק. ווי אַזוי ער מאַכט דאָס – ווייס איך נישט. ס׳איז אַ סוד. דאָס בוך האַלט ער אין **בוזעם־קעשענע**, דעם פּראָשיק אין אַ פּאַפּיר. דער פּראָשיק איז רויטלעך און הייסט „שעמעריצי״.

– וואָס הייסט דאָס שעמעריצי?

– טערקישער פּעפּער.

– וואָס הייסט דאָס טערקישער פּעפּער?

– איך וועל דיר געבן אַ „וואָס־הייסט־דאָס״, וועסטו ביַי מיר עפּענען מיטן קאָפּ די טיר!

אַזוי זאָגט צו מיר מיַין ברודער אליה. ער האָט **פֿיַינט**, אַז מע פֿרעגט אים **קשיות** ווען ער אַרבעט. איך קוק און **שוויַיג**.

– **סם־המוות!** – זאָגט מיַין ברודער אליה אפֿשר הונדערט מאָל דער מאַמען, ברכהן און מיר. **דער עיקר** – מיר.

די ערשטע **פּרוּוו** האָבן מיר געמאַכט אויף אונדזער שכנה פּעסיעס מיַיז. דאָרטן זענען דאָ אַ סך מיַיז. איר ווייסט דאָך, אַז איר מאַן איז אַן איַינבינדער. **תּמיד** איז ביַי אים אַ פֿולע שטוב מיט ספֿרים. מיַיז האָבן ליב ספֿרים. און נישט אַזוי ספֿרים ווי **פּאַפּ**. פּאַפּ איז דאָס, וואָס מע **קלעפּט** מיט דעם ספֿרים. צוליב דעם פּאַפּ עסן זיי שוין ספֿרים אויך.

– לאָזט מיך אויף איין נאַכט! – בעט זיך מײַן ברודער אליה בײַם אײַנבינדער. דער אײַנבינדער וויל נישט. ער זאָגט:

– איך האָב מורא.

– פֿאַר וואָס? – פֿרעגט אים מײַן ברודער.

– איך וויים אַליין נישט פֿאַר וואָס. נאָר איך האָב מורא, ס'איז פֿרעמדע ספֿרים.

נו, גייט רעדט מיט אַן אײַנבינדער! קוים געפּועלט, ער זאָל אונדז צולאָזן אויף איין נאַכט.

sneezes	ניסט (ניסן)
section of the Pentateuch assigned for a week's reading; *here,* theme of discussion	די סדרה [סעדרע]
inside coat pocket	די בוזעם־קעשענע
reddish	רויטלעך
hellebore, a poisonous plant	די שעמעריצי/שעמעריצע
hates	האָט פֿײַנט (פֿײַנט האָבן)
questions	די קשיות [קאַשעס] (די קשיא) [קאַשע]
am silent	שווײַג (שווײַגן)
deadly poison	דער סם־המוות [סאַם־(ה)אַמאָוועס]
mainly, above all	דער עיקר [איקער]
test	די פּרווו
always	תּמיד [טאָמעד]
paste	דער פּאַפּ
paste, glue	קלעפּט (קלעפּן)
other people's	פֿרעמד־ע
You can't argue with a bookbinder! (*lit.* "Go speak with a bookbinder")	גייט רעדט מיט אַן אײַנבינדער!
convinced, persuaded	געפּועלט [געפּויעלט] (פּועלן) [פּויעלן]

געניטונגען

I. ענטפֿערט אויף יעדער פֿראַגע אין אַ פֿולן זאַץ.

1. וואָסער „סדרה" גייט ביי זיי היינט?
2. וואָס האָט אליה געטאָן אַ גאַנצע וואָך?
3. וואָס האָט ער זיך שוין אויסגעלערנט אַרויסטרייבן?
4. צי ווייסט מאָטל, ווי אַזוי אליה מאַכט דעם פּראָשיק? פֿאַר וואָס?
5. ווו האַלט אליה דאָס בוך און דעם פּראָשיק?
6. וואָס הייסט „שעמעריצי"?
7. וואָס מיינט אליה ווען ער זאָגט: „וועסט ביי מיר עפּעלען מיטן קאָפּ די
טיר"?
8. וואָס האָט אליה פֿיינט?
9. ווען זאָגט אליה, אַז שעמעריצי איז סם־המוות?
10. אויף וועמענס מייז האָבן זיי געמאַכט די ערשטע פּרוּוו?
11. פֿאַר וואָס זיינען דאָ ביי איר אין שטוב אַ סך מייז?
12. וואָס האָבן די מייז ליב צו עסן?
13. פֿאַר וואָס וויל משה דער איינבינדער נישט צולאָזן אליהן און מאָטלען
אויף אַפֿילו איין נאַכט?
14. האָבן זיי געפּועלט, ער זאָל זיי יאָ צולאָזן אויף איין נאַכט, צי נישט?

די ערשטע פּרוּוו האָבן מיר געמאַכט אויף אונדזער שכנהס מייז.

ב

די ערשטע נאַכט האָבן מיר נישט געכאַפּט קיין איין מויז אַפֿילו! מײַן ברודער אליה זאָגט אַפֿילו, אַז ס׳איז אַ גוטער **סימן**. די מײַז, זאָגט ער, האָבן דערשמעקט דעם פּראָשיק, זענען זיי זיך צעלאָפֿן. דער אײַנבינדער גלייבט נישט. **פֿונדעסטוועגן**, איז אַרויס אַ **קלאַנג** אין שטאָט, אַז מיר **פֿאַרטרײַבן** מײַז. דער קלאַנג האָט זיך גענומען פֿון אונדזער שכנה פעסיע. זי האָט אונדז געמאַכט אַ נאָמען. פֿריִער מיטן קוואַס האָט זי אויך **געפּויקט** איבער דער גאַנצער שטאָט. נאָך דעם האָט זי **אויסגעפּויקט** אַז מיר מאַכן אַזאַ טינט, וואָס **עס עקט זיך די וועלט**. וואָס האָט אָבער געהאָלפֿן איר פּויקן, אַז קיינער דאַרף נישט קיין טינט? מײַז איז נישט **דאָס וואָס** טינט. מײַז זײַנען **פֿאַראַן אומעטום**, כּמעט אין יעדער שטוב.

יעדע שטוב האָט אַ קאַץ. נאָר וואָס העלפֿט אַ קאַץ קעגן אַזוי פֿיל מײַז? און ספּעציעל **שטשערעס**! שטשערעס הערן אַ קאַץ ווי **המן דעם גראַגער**. פֿאַר שטשערעס האָט אַ קאַץ אַליין אויך מורא. אַזוי זאָגט בערע דער שוסטער. ער דערציילט אַזעלכע מעשׂיות פֿון שטשערעס, אַז **אַ שרעק**! אַז ס׳איז נאָר האַלב אמת איז דאָס אויך שיין. ער זאָגט אַז די שטשערעס האָבן בײַ אים אויפֿגעגעסן אַ פּאָר נײַע **שטיוול**. בײַ נאַכט איז דאָס געווען. צוגיין **נאָענט** האָט ער מורא געהאַט – צוויי מוראדיקע שטשערעס אַזוי גרויס ווי קעלבלעך. פֿון דער ווײַטן האָט ער זיי **געטריבן, געפּײַפֿט** אויף זיי, געשריגן: קיש־קיש־קיש. עס האָט נישט געהאָלפֿן קיין זאַך. זיי האָבן אַפֿילו אויפֿגעגעסן די קאַץ. קיינער האָט אים נישט געוואָלט גלייבן, נאָר אַז אַ מענטש **שווערט**!

– לאָזט מיך אַרײַן אויף איין נאַכט, – זאָגט אים מײַן ברודער אליה, – וועל איך אײַך אַרויסטרײַבן אַלע שטשערעס!

– פֿאַר וואָס נישט?! – זאָגט בערע דער שוסטער, – איך וועל אײַך נאָך זאָגן אַ דאַנק!...

דער סימן [סימען]	sign
פֿונדעסטוועגן	nevertheless, yet
דער קלאַנג	rumor
פֿאַרטרײַבן (פֿאַרטרײַבן)	expel, chase out
געפּויקט (פּויקן)	drummed; let everyone know
אויסגעפּויקט (אויספּויקן)	spread news (*lit.* "announced on a drum")
עס ענדיקט זיך די וועלט	it ends all, *i.e.*, extraordinary (*lit.* "the world is ending")
דאָס וואָס	the same as (*lit.* "that which")
קעגן	against
די שטשערעס (דער שטשאָר/ דער שטשור־עס)	rats
הערן ווי המן [האָמען] דעם גראַגער	not listen to someone/something (*lit.* "hear as Haman hears the gragger")
אַ שרעק!	It's frightening! (*lit.* "a terror")
דער/די שרעק	fear, terror
געטריבן (טרײַבן)	tried to drive out
געפּײַפֿט (פּײַפֿן)	whistled
שווערט (שווערן)	swears

געניטונגען

I. פֿאָרט צונויף דעם טוער מיט די טוונגען. שטעלט די ריכטיקע נומערן לעבן דעם טוער. שרײַבט איבער דעם זאַץ אָדער לייענט אים איבער אויף אַ קול.

קאַפּיטל 7: אַ גאַס ניסט

מאָטל	1. האָט זײ פֿריִער געמאַכט אַ נאָמען מיטן קװאָס.
	2. זאָגט, אַז אױב מע לאָזט אים אַרײַן װעט ער אַרױסטרײַבן אַלע שטשערעס.
אליה	3. האָט געזאָגט, אַז די שטשערעס האָבן בײַ אים אױפֿגעגעסן אַ פּאָר נײַע שטיװל.
	4. האָט ליב צו הערן בערע דעם שוסטערס מעשׂיות װעגן שטשערעס.
(די) מײַז	5. האָבן קײן מורא ניט פֿאַר אַ קאַץ.
	6. זײַנען פֿאַראַן אומעטום, כּמעט אין יעדער שטוב.
	7. האָט די ערשטע נאַכט נישט געכאַפּט קײן אײן מױז אַפֿילו.
די שכנה פּעסיע	8. דערציילט אינטערעסאַנטע מעשׂיות װעגן שטשערעס.
	9. זאָגט, אַז ניט כאַפּן קײן אײן מױז אַפֿילו איז אַ גוטער סימן.
(די) שטשערעס	10. האָבן דערשמעקט דעם פּראָשיק און זײַנען זיך צעלאָפֿן.
	11. האָט אױסגעפּױקט, אַז זײ מאַכן אַזאַ טינט אַז עס עקט זיך די װעלט.
	12. האָט פֿאַרשפּרייט אַ קלאַנג, אַז זײ פֿאַרטרײַבן מײַז.
בערע דער שוסטער	13. הערן אַ קװיטש װי המן דעם גראַגער.
	14. האָט פֿון דער װײַטן געטריבן, געפּײַפּט אױף די שטשערעס און געשריגן: קיש־קיש־קיש.
	15. האָבן אַפֿילו אױפֿגעגעסן די קאַץ.

ג

אגאַנצע נאַכט זענען מיר **אויסגעזעסן** בײַ בערע דעם שוסטער. בערע אַליין איז אויך געזעסן מיט אונדז. אַך, וואָסערע שיינע מעשׂיות ער דערציילט! איין מעשׂה איז מוראדיקער פֿון דער אַנדערער. אָט אַזוי זענען מיר **אָפּגעזעסן** ביז טאָג. און שטשערעס? נישט קיין איין שטשאָר אַפֿילו.

– איר זענט אַ **כּישוף־מאַכער**! – זאָגט בערע דער שוסטער צו מײַן ברודער אליהו! און ער גייט אַרויס אין **שטאָט** און **דערציילט זיך אָן** וווּנדער, ווי אַזוי מיר האָבן בײַ אים מיט אַ **שפּרוך** צעטריבן אַלע שטשערעס אין איין נאַכט. ער שווערט, אַז ער האָט אַליין געזען, ווי אַזוי מײַן ברודער אליהו האָט עפּעס **געשעפּטשעט**, זענען אַרויס די שטשערעס פֿון די **נאָרעס** און זענען געלאָפֿן באַרג־אַראָפּ, און זענען געלאָפֿן אַהין, צום טײַך צו, **אַריבערגעשווומען** דעם טײַך און אַוועק ווײַטער. ער ווייסט נישט וווהין...

אוי́סגעזעסן (אוי́סזיצן)	sat it out, sat for the whole time
אָפּגעזעסן (אָפּזיצן)	sat (a period of time)
דער כּישוף־מאַכער [קי́שעף]	magician
די שטאָט	city
דערציי́לט זיך אָן (אָנדערציילן זיך)	narrate at length, tell (a large number of stories, *etc.*)
דער שפּרוך	incantation, magic formula
געשעפּטשעט (שעפּטשען)	whispered
די נאָרעס (די נאָרע)	lair, den
אַרי́בערגעשווומען (אַרי́בערשווימען)	swam across

גענישונגען

I. קלײַבט אויס דעם פּאַסיקן טייל אויף צו מאַכן אַ ריכטיקן זאַץ. עס קענען זײַן עטלעכע מעגלעכקייטן. דערשרײַבט דעם זאַץ אָדער לייענט אים אויף אַ קול.

1. אליה און מאָטל זײַנען

א) געשלאָפֿן אַ גאַנצע נאַכט בײַ בערע דעם שוסטער.

ב) אַ גאַנצע נאַכט אויסגעזעסן בײַ בערע דעם שוסטער.

ג) געזעסן אַ גאַנצע נאַכט אָן בערען.

2. בערע דערציילט

א) שיינע מעשׂיות.

ב) פֿריילעכע מעשׂיות.

ג) מוראדיקע מעשׂיות.

3. בערע זאָגט, אַז אליה איז אַ כּישוף־מאַכער, ווײַל

א) זיי האָבן געכאַפּט אַ סך שטשערעס.

ב) זיי האָבן ניט געזען קיין איין שטשאָר אַפֿילו.

ג) ער דערציילט ווונדער.

4. בערע זאָגט, אַז

א) אליה האָט צעטריבן אַלע שטשערעס מיט אַ שפּרוך.

ב) ווען ער אַליין האָט עפּעס געשעפּטשעט, זײַנען די שטשערעס אַרויס פֿון די נאָרעס.

ג) די מײַז זײַנען געלאָפֿן באַרג־אַראָפּ, צום טײַך צו.

ד) ער ווייסט, וווּהין די שטשערעס זײַנען אַוועק.

ד

— דאָ טרײַבט מען מײַז? – אַזוי קומט מען אַלע מאָל צו אונדז און מע רופֿט אונדז, מיר זאָלן אַרויסטרײַבן די מײַז מיט אונדזער שפּרונג...

מײַן ברודער אליה איז אָבער אַן אמתער מענטש. ער האָט פֿײַנט ליגנס. ער זאָגט אַז טרײַבן טרײַבט ער מײַז נישט מיט קיין שפּרונג נאָר מיט אַ פּראָשיק.

– לאָז זײַן אַ פּראָשיק, לאָז זײַן אַ שוואַרץ־יאָר, אַבי איר זאָלט מיר אַרויסטרײַבן די מײַז!... וויפֿל וועט דאָס קאָסטן?

מײַן ברודער אליה האָט פֿײַנט דינגען זיך. ער זאָגט, אַז דער פּראָשיק קאָסט אים אַזוי פֿיל, און פֿאַר דער אַרבעט אַזוי פֿיל און אַזוי פֿיל. ער זאָגט אַלע מאָל טײַערער. אַלע טאָג העכערט ער דעם פּרײַז. דאָס הייסט, נישט ער העכערט, נאָר מײַן שוועגערין העכערט. זי זאָגט:

– עסט מען חזיר, זאָל רינען איבער דער באָרד. אַז דו ביסט שוין יאָ געוואָרן אַ מײַזן־טרײַבער, נעם כאָטש געלט.

– נו, און ירשר ווו איז? ווו איז גאָט? – אַזוי מישט זיך אַרײַן די מאַמע. און מײַן שוועגערין ברכה ענטפֿערט איר אָפּ:

– ירשר? אָט איז ירשר! (זי ווײַזט איר אָן אויפֿן אויוון). גאָט? אָט איז גאָט! (זי טוט אַ פּאַטש איבער דער קעשענע).

– ברכה! וואָס האָסטו געזאָגט? גאָט איז מיט דיר!!! – שרײַט אויס די מאַמע.

– וואָס רעדסטו מיט אַ בהמה?! – זאָגט מײַן ברודער אליה. אַן אַנדערש מאָל וואָלט מײַן שוועגערין ברכה נישט געשוויגן בײַם וואָרט „בהמה“ נאָר איצט האָט זי געשוויגן, ווײַל ער פֿאַרדינט געלט. אַלע מאָל, ווען מײַן ברודער אליה פֿאַרדינט געלט, ווערט

ער בײַ איר אַ מיוחס. איך ווער אויך בײַ איר טײַערער, וואָרעם איך העלף מײַן ברודער פֿאַרדינען געלט. **אַזוי** רופֿט זי מיך „**שלעפּער**" אָדער „שלימזל". איצט הייס איך שוין בײַ איר „מאָטעלע".
– מאָטעלע! דערלאַנג די שיך.
– מאָטעלע! טראָג אַרויס **דאָס מיסט**.
אַז מע פֿאַרדינט געלט, איז גאָר אַנדערע ווערטער.

דער שוואַרץ־יאָר	devil (*lit.* "black year")
דינגען זיך	bargain
העכערט (העכערן)	raises price, wages
עסט מען חזיר [כאַזער], זאָל רינען איבער דער באָרד.	If you're going to eat pork, let (the lard) run down your beard
דער חזיר [כאַזער]	pig; pork
רינען	run, ooze
דער מײַזן־טרײַבער	mouse catcher (person)
דער יושר [יױשער]	justice, fairness
מישט זיך אַרײַן (אַרײַנמישן זיך)	breaks into (a conversation); speaks up
ענטפֿערט אָפּ (אָפּענטפֿערן)	answer back; refute
דער אויוון	oven, stove, furnace
גאָט איז מיט דיר!	What's the matter with you? (*lit.* "God is with you")
די בהמה [בעהיימע]	head of cattle, cow; fool, moron
אַזוי	usually, ordinarily
דער שלעפּער	tramp, vagabond, bum
דער שלימזל [שלימאַזל]	unlucky person; incompetent person, loser
דאָס מיסט	rubbish, garbage

גענישונגען

I. קלײַבט אויס דאָס ריכטיקע וואָרט פֿון די פֿאָרגעלייגטע פֿון אונטן ווערטער אויף צו דערגאַנצן דעם זאַץ. די ווערטער מעג מען ניצן איין מאָל, מער מאָל, אָדער אין גאַנצן נישט.

1. מע וויל, אליה זאָל אַרויסטרײַבן די מײַז מיט אַ __________.
2. אליה זאָגט, אַז טרײַבן טרײַבט ער מײַז ניט מיט קיין ______ נאָר מיט אַ ______.
3. אליה האָט פֿײַנט ________.
4. ברכה ______ אַלע מאָל דעם פּרײַז.
5. זי זאָגט, אַז אויב מען עסט ______, זאָל ______ איבער דער באָרד.
6. זי זאָגט, אַז אליה איז געוואָרן אַ __________.
7. די מאַמע פֿרעגט: – ווו איז _____? ווו איז גאָט?
8. ברכה זאָגט: – אָט איז גאָט! – און זי טוט אַ ______ איבער דער קעשענע.
9. אליה פֿרעגט די מאַמע, פֿאַר וואָס זי רעדט מיט אַ _______.
10. ברכה האָט איצט ______ בײַם וואָרט „בהמה“, ווײַל אליה ______ געלט.
11. ווען אליה ______ געלט, ווערט ער בײַ ברכהן אַ _______.
12. מאָטל העלפֿט זײַן ברודער ______ געלט.
13. ברכה פֿלעגט מאָטלען ______ „שלעפּער“ אָדער „שלימזל“.
14. מאָטל טראַכט, אַז ווען מע פֿאַרדינט געלט, איז גאָר אַנדערע _______.

פֿראָשיק	מיוחס	שפּרוך	פֿאַרדינט	
געשווינגן	שטעקן	דינגען זיך	מײַזן־טרײַבער	
העכערט	רינען	פּאַטש	ווערטער	
בהמה	יושר	פֿאַרדינען	חכיר	רופֿן

ה

דער חסרון פֿון מײַן ברודער אליה – וואָס ער האָט ליב אַ סך. קוואַס – אַ פּעסל. טינט – טויזנט פֿלעשער. אַ פּראָשיק פֿון מײַז – אַ פֿולער זאַק. וואָלט מען כאָטש דעם זאַק פֿאַרשלאָסן ערגעץ אין אַ שאַפֿע. גייען זיי אַלע אַוועק און לאָזן מיך איבער איינעם אַליין מיטן זאַק. איך האָב זיך אַוועקגעזעצט אויף אים אַ ווײַלע רײַטנדיק, עלעהיי ס׳איז אַ פֿערדל! זאָל איך זײַן אַ נביא, אַז דער זאַק וועט פּלאַצן, און עס וועט זיך געבן אַ שאָט אויס פֿון אים עפּעס אַ געלע זאַך! דאָס איז טאַקע דער פּראָשיק וואָס מײַן ברודער פֿאַרטרײַבט מיט אים מײַז. ער האָט אַזאַ שאַרפֿן ריח. איך וויל צונויפֿנעמען דאָס וואָס האָט זיך צעשאָטן, הייב איך אָן צו ניסן. איך ניס אַזוי לאַנג, ביז איך קום אַרויס אין דרויסן. טאָמער וועל איך אויפֿהערן ניסן. ווער, וואָס?

די מאַמע קומט אָן און דערזעט, איך ניס. פֿרעגט זי מיך: וואָס איז? איך קען איר ענטפֿערן נאָר טשכי! און טשכי! און ווידער אַ מאָל טשכי!

– ווינד איז מיר, ווו האָסטו געכאַפּט אַזאַ קאַטער? – זאָגט צו מיר די מאַמע און ברעכט די הענט. איך הער נישט אויף צו ניסן און ווײַז איר מיט דער האַנט אַהין, אין שטוב אַרײַן. זי גייט אַרײַן און לויפֿט אַרויס צוריק נאָך מיט אַן ערגערער ניסערײַ ווי איך.

קומט אָן מײַן ברודער אליה און דערזעט אונדז ביידע ניסן, פֿרעגט ער: וואָס איז דאָס? ווײַזט אים די מאַמע מיט דער האַנט אַהין, אין שטוב אַרײַן. ער גייט גיך אַרײַן און לויפֿט אַרויס צוריק מיט אַ געוואַלד:

– ווער האָט דאָס צע... טשכי, טשכי, טשכי!...

איך האָב שוין לאַנג נישט געזען מײַן ברודער אליה אין כּעס,

אַזוי ווי איצט. אַ גליק וואָס ער ניסט, אַנישט – וואָלט איך פֿון זײַנע הענט אַרויס אַ קאַליקע.

מײַן שוועגערין קומט אָן און זעט ווי מיר האַלטן זיך מיט די הענט בײַ די זײַטן און ניסן.

– וואָס איז מיט אײַך? וואָס האָט איר זיך פּלוצעם צעניסט? וואָס זאָלן מיר איר זאָגן? מיר קענען דען רעדן? ווײַזן מיר איר מיט די הענט אַהין, אין שטוב אַרײַן. גייט זי אַרײַן און לויפֿט באַלד אַרויס צוריק, רויט ווי פֿײַער, און זאָגט צו מײַן ברודער אליהון:

– וואָס האָב איך דיר גע... טשכי, טשכי, טשכי!...

עלעהיי	as if
זאָל איך זײַן אַ נבֿיא [נאָווי]	how should I know/could I predict (*lit.* "should I be a prophet")
דער נבֿיא [נאָווי]	prophet
זיך געבן אַ שאָט אויס	come spilling out, empty itself (*lit.* "give itself a spill out")
זיך צעשאָטן (צעשיטן זיך)	scattered
ווער, וואָס?	no such thing (*lit.* "who, what?")
ווינד איז מיר	woe is me
דער קאַטער	(head) cold
ברעכט די הענט (ברעכן די הענט)	wrings her hands (*lit.* "breaks her hands")
אַהין	there, to that place
די/דאָס ניסערײַ	sneezing *(intense and by more than one person)*
דער/די קאַליקע	cripple
אין כּעס [קאַ(אַ)ס]	angry
זיך צעניסט (צעניסן זיך)	burst out sneezing
דען	even, then *(in a question anticipating a negative response)*

געניטונגען

I. פֿאַר יעדן זאַץ, שרײַבט צי ער איז ריכטיק אָדער נישט־ריכטיק. אויב אַ זאַץ איז נישט־ריכטיק, שרײַבט אים איבער און בעסערט אים אויס.

1. דער חסרון פֿון אליה – וואָס ער האָט ליב צו טרינקען אַ סך קוואַס.
2. אליה האָט געמאַכט צו פֿיל טינט און צו פֿיל פּראָשיק אַרויסגעטריבן מײַז.
3. מאָטל האָט געוואָלט פֿאַרשליסן דעם זאַק פּראָשיק ערגעץ אין אַ שאַפֿע.
4. די מײַז זײַנען אַלע אַוועקגעגאַנגען און איבערגעלאָזט מאָטלען אַליין מיטן זאַק.
5. מאָטל האָט זיך אַוועקגעזעצט אויפֿן זאַק רײַטנדיק, עלעהיי סע וואָלט געווען אַ פֿערדל.
6. מאָטל האָט געוווּסט, אַז דער זאַק וועט פּלאַצן.
7. ווען דער זאַק האָט געפּלאַצט, האָט זיך עפּעס אַ געלע זאַך געגעבן אַ שאָט אויס.
8. ווען מאָטל נעמט צונויף דאָס וואָס האָט זיך צעשאָטן, הייבט ער אָן צו ניסן.
9. אין דרויסן האָט ער אויפֿגעהערט צו ניסן.
10. ווען די מאַמע פֿרעגט מאָטלען, פֿאַר וואָס ער ניסט, ענטפֿערט ער, אַז עס איז פֿונעם שאַרפֿן ריח.
11. די מאַמע האָט צעבראָכן די האַנט.
12. ווען די מאַמע גייט אַרײַן אין שטוב לויפֿט זי אַרויס מיט אַן ערגערער ניסערײַ ווי בײַ מאָטלען.
13. אליה לויפֿט גיך אַרײַן אין שטוב מיט אַ געוואַלד.
14. מאָטל האָט שוין לאַנג ניט געזען זײַן ברודער אַזוי אין כּעס.
15. מאָטל זאָגט, אַז ס'איז אַ גליק וואָס אליה ניסט, אַנישט וואָלט ער אים געשלאָגן.
16. מאָטל, אליה און די מאַמע קענען נישט ענטפֿערן ברכהן, זיי קענען איר נאָר ווײַזן מיט די הענט אין שטוב אַרײַן.

ו

אונדזער שכנה פּעסיע קומט אָן. זי רעדט צו אונדז, נאָר קיינער קען איר נישט ענטפֿערן קיין וואָרט. מיר ווײַזן איר מיט די הענט אַהין, אין שטוב אַרײַן. זי גייט אַרײַן און לויפֿט אַרויס צוריק:

– וואָס האָט איר גע... טשכי, טשכי, טשכי!...

עס קומט אַרויס איר מאַן, דער אײַנבינדער. דער אײַנבינדער קוקט אויף אונדז און לאַכט.

– וואָס איז דאָס פֿאַר אַ ניסערײַ?

– זײַט אַזוי גו... טשכי, טשכי, טשכי! – זאָגן מיר צו אים און ווײַזן אים אַלע אַהין, אין שטוב אַרײַן. דער אײַנבינדער גייט אַרײַן צו אונדז אין שטוב אַרײַן, און שפּרינגט אַרויס צוריק מיט אַ געלעכטער:

– איך ווייס שוין וואָס דאָס איז! דאָס איז שמע... טשכי, טשכי!

און ער ניסט געשמאַק. נאָך יעדן ניס טוט ער אַ שפּרונג אונטער, בלײַבט שטיין אויף די שפּיץ פֿינגער און טוט אַ ניס, און ווידער אַ שפּרונג אונטער, און ווידער אַ ניס, און אַזוי ווײַטער. אין איין האַלבער שעה ניסן שוין אַלע אונדזערע שכנים און שכנות מיט זייערע קינדער, מיט זייערע פֿעטערס און מומעס און שוועסטערקינדער און זייערע באַקאַנטע – די גאַנצע גאַס האַלט אין איין ניסן!

קיינער	no one
דאָס געלעכטער	laughter
טוט אַ שפּרונג אונטער (טאָן אַ שפּרונג אונטער)	does/gives a little jump/hop
אונטערשפּרינגען	hop/bounce lightly
די שפּיץ פֿינגער (דער שפּיץ פֿינגער)	tiptoes
די שעה [שאָ]	hour
די שכנות [שכיינעס] (די שכנה [שכיינע])	female neighbo(u)rs
די שוועסטערקינדער (דאָס שוועסטערקינד)	cousins
די באַקאַנטע (דער באַקאַנטער)	acquaintances

געניטונגען

I. פֿאָרט צונויף די ערשטע העלפֿט זאַץ מיט דער צווייטער העלפֿט. שרײַבט דעם גאַנצן זאַץ.

1. ווען פּעסיק רעדט מיט זיי	א) קענען נאָר זאָגן: „טשכי, טשכי, טשכי!...״
2. זיי ווײַזן פּעסיען	ב) ניסן שוין אַלע שכנים און שכנות.
3. דער אײַנבינדער פֿרעגט:	ג) אַרויס פֿון שטוב מיט אַ געלעכטער.
4. זיי ווילן רעדן, אָבער זיי	ד) קען קיינער נישט ענטפֿערן קיין וואָרט.
5. דער אײַנבינדער שפּרינגט	ה) מיט די הענט אַהין, אין שטוב אַרײַן.
6. נאָך רעדן ניט גוט	ו) אין איין ניסן!
7. אין איין האַלבער שעה	ז) „וואָס איז דאָס פֿאַר אַ ניסערײַ?״
8. די גאַנצע גאַס הײַנט	ח) דער אײַנבינדער אַ שפּרונג אונטער און בלײַבט שטיין אויף די שפּיץ פֿינגער.

II. שפּילט אויס די סצענע ווו אַלע ווילן פֿרעגן וואָס קומט פֿאָר, נאָר זיי קענען נישט, ווײַל זיי ניסן. (דאָס נעמט אַרײַן ו און אויך אַ טייל פֿון ה.)

ז

מײַן ברודער אליה האָט מורא, מען זאָל נישט אויסלאָזן דעם כּעס צו אים פֿאַרן ניסן. ער נעמט מיך פֿאַר אַ האַנט און ניסנדיק גייען מיר ביידע באַרג־אַראָפּ, צו זײַן חבֿר פּיניע. מײַן ברודער אליה דערציילט זײַן חבֿר פּיניע די גאַנצע מעשׂה. זײַן חבֿר פּיניע הערט אים אויס מיט קאָפּ, אַזוי ווי אַ דאָקטער הערט אויס אַ קראַנקן. אַז מײַן ברודער אליה האָט געענדיקט, מאַכט צו אים זײַן חבֿר פּיניע:

אונדזער חבֿר פּיניע

– אַנו, ווײַז נאָר אַהער דאָס בוך.

מײַן ברודער אליה נעמט אַרויס דאָס בוך פֿון בוזעם־קעשענע און גיט דאָס איבער צו זײַן חבֿר פּיניע. זײַן חבֿר פּיניע לייענט איבער דאָס אײַבערשטע בלעטל: „פֿאַר איין רובל – הונדערט רובל! ווי אַזוי פֿון גאָרנישט, מיט די פֿינף פֿינגער, קען מען מאַכן הונדערט רובל אַ חודש און מער...” ער נעמט דאָס בוך און טוט דאָס אַ וואָרף אַרײַן אין אויוון אַרײַן גלײַך אויפֿן פֿײַער. מײַן ברודער אליה לויפֿט צו מיט ביידע הענט צום פֿײַער. זײַן חבֿר פּיניע שטעלט אים אָפּ:

– נישט געכאַפּט!

נאָך אַ פּאָר מינוט – און פֿון מײַן ברודער אליהס בוך, וואָס

פּיניע נעמט דאָס בוך און טוט דאָס
אַ וואָרף אַרײַן אין אויוון אַרײַן.

לערנט „ווי אַזוי צו מאַכן הונדערט רובל אַ חודש און מער” איז געבליבן נישט מער ווי אַ **בערגל אַש**. פֿון איין זײַט איז **פֿאַרבליבן** אַ שטיקל נישט־פֿאַרברענט פּאַפּיר, קוים־קוים וואָס מע האָט געקענט איבערלייענען: ש־ע־מ־ע־ר־י־צ־י.

אױסלאָזן	take/let out (an emotion)
אײבערשט־ע	uppermost, top
טוט אַ וואָרף אַרײַן (טאָן אַ וואָרף אַרײַן)	gives a throw in
דער וואָרף	throw, toss
שטעלט אָפּ (אָפּשטעלן)	stop, interrupt
נישט געכאַפּט!	take it easy! not so fast!
דאָס בערגל	pile, heap
דאָס אַש	ash(es)
פֿאַרבליבן (פֿאַרבלײַבן)	remained

געניטונגען

I. שטעלט די זאַצן אין דעם ריכטיקן סדר.

א) פּיניע בעט אליהן, ער זאָל אים ווײַזן דאָס בוך.

ב) נאָך אַ פּאָר מינוט איז פֿון בוך געבליבן נישט מער ווי אַ בערגל אַש.

ג) מע האָט קוים געקענט איבערלייענען: ש־ע־מ־ע־ר־י־צ־י.

ד) אליהו האָט מורא, מע זאָל נישט אויסלאַכן דעם כעס 13 אים פֿאַרן ניסן.

ה) ווען אליהו לויפֿט צו צום פֿײַער, שטעלט אים פּיניע אָפּ.

ו) פּיניע לייענט איבער דאָס אייבערשטע בלעטל און טוט אַ וואָרף אַרײַן דאָס בוך אין אויוון אַרײַן.

ז) פּיניע הערט אויס מיט קאָפּ די גאַנצע מעשׂה, וואָס אליהו דערציילט.

ח) אליהו נעמט מאָטלען פֿאַר אַ האַנט און זיי גייען ביידע באַרג־אַראָפּ צו פּיניען.

ט) אליהו נעמט אַרויס דאָס בוך פֿון בוזעם־קעשענע און גיט דאָס איבער פּיניען.

די געזעגענונג־סעודה

קאַפּיטל 8

שאַט, מיר פֿאָרן קיין אַמעריקע!

א

שאַט, מיר פֿאָרן קיין אַמעריקע! ווו איז אַמעריקע? – ווייס איך נישט. איך ווייס נאָר, אַז ס׳איז ווײַט, **שרעקלעך** ווײַט. מע דאַרף אַהין פֿאָרן און פֿאָרן אַזוי לאַנג, ביז מע קומט. און אַז מע קומט, איז פֿאַראַן אַ „**קעסטל־גאַרטל**“, טוט מען אײַך אויס **נאַקעט** און מע קוקט אײַך אין די אויגן. האָט איר געזונטע אויגן, איז גוט. אַז ניט – פֿאָרט, זײַט **מוחל**, צוריק!

דאַכט זיך, איך האָב געזונטע אויגן. מיט מײַן מאַמע אָבער איז נישט פֿריילעך. אַזוי זאָגט מײַן ברודער אליה. ווער איז **שולדיק**, אַז טאָג ווי נאַכט וויינט זי? זינט דער טאַטע איז **געשטאָרבן**, האָט זי נאָך גאָר נישט **אויפֿגעהערט** וויינען.

– **אום גאָטס ווילן**! דו האָסט קיין רחמנות נישט אויף אונדז! איבער דיר וועלן מיר חלילה אַלע דאַרפֿן פֿאָרן צוריק!

אַזוי **טענהט** מיט איר מײַן ברודער אליה און זי ענטפֿערט אים:

– נאַריש קינד וואָס דו ביסט! איך וויין דען? עס וויינט זיך אַליין, אָן מיר!

אַזוי זאָגט די מאַמע, ווישט די אויגן אין פֿאַרטעך און נעמט זיך צום בעטגעוואַנט, צו די קישנס. מע דאַרף **איבערשיטן** אַלע קישנס. אַמעריקע איז אַ לאַנד, ווו ס׳איז נישטאָ קיין קישנס. אַלצדינג איז דאָרט דאָ, נאָר נישט קיין קישנס. ווי אַזוי שלאָפֿן דאָרט די מענטשן – פֿאַרשטיי איך נישט. עס דאַרף זיי זײַן האַרט **צוקאָפּנס**. מײַן שוועגערין ברכה העלפֿט איר איבערשיטן די

קישנס. מיר האָבן **היפּש** עטלעכע קישנס. דרײַ גרויסע **איבער־בעטן** מיט זעקס קישנס מיט פֿיר קליינע קישעלעך.

מײַן שוועגערין ברכה איז פֿון דער **נסיעה** נישט צופֿרידן. ס׳איז איר שווער זיך **שיידן** מיט אירע טאַטע־מאַמע. אויב מע וואָלט איר געזאָגט **פֿאַר אַ יאָרן** אין דער צײַט, אַז זי וועט פֿאָרן קיין אַמעריקע, וואָלט זי יענעם, זאָגט זי, **אָנגעשפּיגן אַ פֿולן פּנים**.

– ווען מע וואָלט מיר געזאָגט פֿאַר אַ יאָרן, אַז איך וועל זײַן אַן **אַלמנה**...

אַזוי זאָגט די מאַמע און צעוויינט זיך. מײַן ברודער אליה מאַכט אַ **גוואַלד**:

– ווידער אַ מאָל געוויינט? ווילסט אונדז אַ פּנים אַלעמען **אומגליקלעך** מאַכן?!

שרעקלעך	terribly
קעסטל־גאַרטל	Motl means "Castle Garden," *America's first immigration station located at the southern tip of Manhattan Island*
נאַקעט	naked
זײַט מוחל [מוֹיכל] (מוחל זײַן)	excuse, pardon, forgive (me)
שוֹלדיק	guilty
געשטאָרבן (שטאַרבן)	die
אוֹיפֿגעהערט (אוֹיפֿהערן)	stopped
אום גאָטס ווילן	for God's sake
טענהט [טײַנעט] (טענהן) [טײַנען]	argued; pleaded
די קישנס (דער קישן)	pillows, cushions

איבערשיטן	redo (the feathers of a pillow); restuff into new pillowcases
צוקאָפּנס	at the head of the bed
היפּש	considerable, substantial
די איבערבעטן (דאָס איבערבעט)	featherbeds
די נסיעה [נעסיִע]	(long) trip, journey
זיך שיידן (שיידן זיך) (מיט)	part (from)
פֿאַר אַ יאָרן	last year
אָנגעשפּיגן אַ פּולן פּנים [פּאָנעם]	spat in someone's face (*lit.* "completely covered someone's face with spit")
אָנגעשפּיגן (אָנשפּײַען)	spat on
די אַלמנה [אַלמאָנע]	widow
מאַכט אַ גוואַלד (מאַכן אַ גוואַלד)	raise a cry
דער גוואַלד	cry; hue and cry

גענִיטונגען

I. ענטפֿערט אויף יעדער פֿראַגע אין אַ פֿולן זאַץ.

1. צי ווייסט מאָטל, ווו אַמעריקע איז?
2. ווי לאַנג דאַרף מען פֿאָרן קיין אַמעריקע?
3. וואָס טוט מען מיט די מענטשן, וואָס זיי קומען אָן אין קעסל־גאַרטן?
4. וואָס געשעט מיט אײַך, אויב איר האָט נישט קיין געזונטע אויגן?
5. פֿאַר וואָס איז מיט דער מאַמען נישט פֿריילעך?
6. פֿאַר וואָס וויינט די מאַמע טאָג ווי נאַכט?
7. פֿאַר וואָס באַקלאָגט אַליה, אַז איבער דער מאַמען וועלן זיי חלילה אַלע דאַרפֿן צוריקפֿאָרן?

8. ווײַל די מאַמע וויינען? וואָס זאָגט זי וועגן דעם?
9. וואָס זאָגט מאָטל וועגן קישנס אין אַמעריקע און פֿאַר וואָס?
10. ווער העלפֿט דער מאַמען איבערשיטן די קישנס?
11. וויפֿל קישנס האָבן זיי?
12. מיט וועמען איז בערכהן שווער זיך צו שיידן?
13. פֿאַר וואָס מאַכט אליה אַ גוואַלד, ווען די מאַמע צעוויינט זיך?

ב

טאָמער איז נישט געווען, דערזעט אונדזער שכנה פּעסיע ווי מיר שיטן איבער די קישנס, שטעלט זי זיך אַוועק אונדז אויסרעדן אַ ביסל דאָס האַרץ.

– פֿאָרט איר, הייסט עס, טאַקע קיין אַמעריקע? הלוואַי גאָט זאָל געבן, איר זאָלט קומען געזונטערהייט און זאָלט דאָרט באַגליקן. בײַ גאָט איז אַלץ מעגלעך. אָט איז פֿאַר אַ יאָרן אַוועקגעפֿאָרן מײַנע אַן אייגענע, ריוול הייסט זי, מיט איר מאַן הילי. שרײַבן זיי, אַז זיי מוטשען זיך, נאָר זיי מאַכן אַ לעבן... וויפֿל מע בעט זיך בײַ זיי, זיי זאָלן שרײַבן ווי מענטשן: וואָס און ווען און ווי אַזוי, ענטפֿערן זיי: אַמעריקע איז אַ לאַנד פֿאַר אַלע־מען. יעדער מוטשעט זיך און מאַכט אַ לעבן... האָט איר עפּעס צו זיי? נאָך גוט וואָס זיי שרײַבן כאָטש... די ערשטע צײַט האָבן זיי גאָר נישט געשריבן, פֿאַרגעסן דעם זײַ־געזונט. מיר האָבן שוין געמיינט, אַז זיי זענען חלילה אַרײַנגעפֿאַלן אין ים אַרײַן. נאָך אַ לאַנגער צײַט שרײַבן זיי אַז זיי זענען שוין, דאַנקען גאָט, אין אַמעריקע. זיי מושטען זיך און מאַכן אַ לעבן!... אוודאי, זאָג איך אײַך, איז כּדאַי דער גאַנצער טאַרעראַם מיטן ברעכן זיך, מיטן איבערשיטן דאָס בעטגעוואַנט, מיטן פֿאָרן איבערן ים, מיט נאָך אַזעלכע זאַכן!

– איך בעט אײַך, איר וועט אַ מאָל אויפֿהערן צו רעדן?

אַזוי פֿאַלט אָן מײַן ברודער אליה אויף אונדזער שכנה פּעסיע. אונדזער שכנה פּעסיע וואָלט נאָך גערעדט און גערעדט. אַ גליק וואָס די מאַמע מישט זיך אַרײַן און הייבט אָן צו איר מיט גוטן:

– איך בעט אײַך, פּעסעניו, נשמהניו, האַרצעניו, זאָלט איר מיר זײַן געזונט און שטאַרק!...

מער קען די מאַמע נישט רעדן. זי צעוויינט זיך. דערזעט מײַן ברודער אליה אַז זי וויינט, ווערט ער אין כּעס.

– לאָז דאָס גיין אין דר׳ערד אַרײַן!

(אונדז) אויסרעדן דאָס האַרץ	console (us); reassure (us)
הייסט עס	so, in that case, that is
הלוואַי [(ה)אַלעווײַ]	God grant, I wish that...
באַגלײַקן	succeed, have good luck
מעגלעך	possible
מײַנע אַן אייגענע	one of my kin (*refers to a woman*)
מוטשען זיך (מוטשען זיך)	toil, slave; suffer
מאַכן אַ לעבן (מאַכן אַ לעבן)	make a living
האָט איר עפּעס צו זיי?	can you blame them? (*lit.* "do you have anything to them?")
דער זײַ־געזונט	farewell, good-bye
דער ים [יאַם]	sea
ברעכן זיך	suffer, toil (*lit.* "twist, contort")
מיט גוטן	kindly, with good demeano(u)r (*lit.* "with goodness")
לאָז דאָס גיין אין דר׳ערד אַרײַן!	May it go to the devil! (*lit.* "Let it go into the earth!")

געניטונגען

I. קלײַבט אויס דעם פּאַסיקן טייל אויף צו מאַכן אַ ריכטיקן זאַץ. עס קענען זײַן עטלעכע מעגלעכקייטן. דערשרײַבט דעם זאַץ אָדער לייענט אים אויף אַ קול.

1. די שכנה פּעסיע
א) האָט געגנוג קישנס.
ב) זעט, ווי מאָטלס משפּחה שיט איבער די קישנס.
ג) זעצט זיך אַוועק זיי אויסרעדן דאָס האַרץ.

2. פּעסיע ווײַנשטיין,
א) זיי זאָלן קומען געזונטערהייט קיין אַמעריקע און דאָרטן באַגליקן.
ב) זיי זאָלן דאָרטן געפֿינען גאָט.
ג) זיי זאָלן זיך טרעפֿן מיט אירע אייגענע, ריוול און היליע.

3. ריוול און איר מאַן היליע
א) שרײַבן שיינע בריוו פֿון אַמעריקע.
ב) מאַטשען זיך אין אַמעריקע, נאָר זיי מאַכן אַ לעבן.
ג) שרײַבן בריוו אַ סך מענטשן אין אַמעריקע.

4. ריוול און היליע
א) שרײַבן פּעסיען אָפֿטע בריוו.
ב) זײַנען אַרײַנגעפֿאַלן אין ים.
ג) האָבן די ערשטע צײַט גאָרנישט געשריבן.
ד) האָבן געשריבן צו זאָגן „זײַ געזונט".

5. אליה וויל

א) הערן וועגן דעם גאַנצן טאַרעראַם מיטן איבערשיטן דאָס בעטגעוואַנט, מיט נאָך אַזעלכע זאַכן.

ב) אַז די מאַמע זאָל מער נישט וויינען.

ג) אַז פּעסיע זאָל נאָך רעדן און רעדן און דערציילן מעשׂיות פֿון אַמעריקע.

ד) אַז פּעסיע זאָל שוין אויפֿהערן צו רעדן.

6. די מאַמע

א) רעדט צו פּעסיען מיט גוטן און רופֿט זי „נשמהניו" און „האַרצעניו".

ב) וויל אויך, אַז פּעסיע זאָל אויפֿהערן צו רעדן.

ג) צעוויינט זיך און ווערט אין כּעס אויף אליהן.

II. שפּילט אויס דעם שמועס צווישן פּעסיען, אליהן און דער מאַמען.

ג

אין שטוב איז שוין בײַ אונדז **פּאָסט**. דער אַלקער איז פֿול מיט פּעקלעך און מיט בעטגעוואַנט. דאָס בעטגעוואַנט פֿאַרנעמט כּמעט ביז דער **סטעליע**. אַז קיינער איז נישטאָ, קריך איך אַרויף אויף אַלע קישנס און **גליטש מיך אַראָפּ** ווי אויף אַ **שליטן**. מיר דאַכט זיך, אַז אַזוי גוט ווי איצט איז מיר נאָך קיין מאָל נישט געווען.

קאָכן קאָכט מען שוין נישט בײַ אונדז פֿון לאַנג. מײַן ברודער אליה ברענגט פֿון **מאַרק** אַ פֿישל, עסן מיר דאָס מיט **ציבעלע**. פֿיש מיט ציבעלע – וואָס קען זײַן בעסער פֿון דעם?

אונדזער חבֿר פּיניע עסט מיט אונדז. ער איז דאָך פֿון תּמיד אַ פּאַרטראָגענער. דער קאָפּ פֿליט בײַ אים. נאָר פֿון זינט מיר פֿאָרן קיין אַמעריקע איז ער גאָר משוגע. אַזוי זאָגט אויף אים די מאַמע.

מיר האָבן אונדזער האַלבע דירה שוין לאַנג פֿאַרקויפֿט. אונדזער האַלבע דירה האָט אַוועקגעקויפֿט זיליע דער שנײַדער. אַזוי גיך קויפֿט אַ שנײַדער אַ דירה? אַ גרויסער נודניק אָט דער זיליע דער שנײַדער!

פֿריִער איז ער דרײַ מאָל אַ טאָג געקומען אָנקוקן אונדזער האַלבע דירה איינער אַליין. געשמעקט די ווענט, געקראָכן אויפֿן בוידעם, באַטראַכט דעם דאַך. נאָך דעם האָט ער געבראַכט דאָס ווײַב. מעניע הייסט זי. ווען איך קוק אויף איר, מוז איך מיך צעלאַכן. אונדזער שכנהס קעלבל האָט אויך געהייסן מעניע. ביידע מעניעס האָבן איין פּנים. מעניע דאָס קעלבל האָט געהאַט אַ ווײַסע מאָרדע מיט קײַלעכיקע אויגן. מעניע דעם שנײַדערס אויך אַזוי... שפּעטער האָט זיליע דער שנײַדער אָנגעהויבן פֿירן מבֿינים אָנקוקן די דירה. צום מיינסטן שנײַדערס. יעדער האָט געפֿונען אויף אונדזער האַלבער דירה אַן אַנדער חסרון. ביז ס׳איז געבליבן, מע זאָל אַראָפּברענגען פּיניעס טאַטן, הערש־לייב דעם מעכאַניק. הערש־לייב דער מעכאַניק איז אַ מבֿין אויף דירות. ער איז אַן ערלעכער מענטש.

פּוסט	empty
די סטעליע	ceiling
גליטש מיך אַראָפּ (אַראָפּגליטשן זיך)	slide down
דער שליטן	sled, sleigh
דער מאַרק	market
די ציבעלע	onion
דער פּאַרטראָגענ־ער (פּאַרטראָגן)	absent-minded
גאָר	altogether, completely

קאַפּיטל 8: שאַט, מיר פֿאָרן קיין אַמעריקע!

מאָטל, אליה און דער חבֿר פּיניע אין מיטן.

דער שנײַדער	tailor
דער נודניק	bore, pest
מיך צעלאַכן (צעלאַכן זיך)	burst out laughing
די מאָרדע	chin (usually of an animal); snout
די מבֿינים [מעווינים]	experts
דער מבֿין [מייוון]	expert
צום מײַנסטן	mostly
ערלעכ־ער	honest; straightforward

געניטונגען

I. פֿאַר יעדן זאַץ, שרײַבט צי ער איז ריכטיק אָדער נישט־ריכטיק. אויב אַ זאַץ איז נישט־ריכטיק, שרײַבט אים איבער און בעסערט אים אויס.

1. דער אַלקער איז פּוסט.
2. דאָס בעטגעוואַנט פֿאַרנעמט כּמעט ביז דער סטעליע.
3. מאָטל וויל, אַז אַלע זאָלן זען, ווי ער גליטשט זיך אַראָפּ פֿון אַלע קישנס ווי אויף אַ שליטן.
4. מאָטל זאָגט, אַז ס'איז אים שוין פֿון לאַנג ניט זייער גוט.
5. קאָכן קאָכט מען שוין נישט פֿון לאַנג ביי זיי.
6. מאָטל האָט זייער ליב צו עסן דעם פֿיש וואָס אליה ברענגט פֿון מאַרק מיט ציבעלע.
7. דער חבֿר פּיניע איז פֿון תּמיד אַ פֿאַרטראָגענער און איצט אַפֿילו מער ווי פֿריִער.
8. פּיניע פֿליט קיין אַמעריקע.
9. זיליע דער שנײַדער האָט זייער גיך געקויפֿט זייער האַלבע דירה.
10. זיליע דער שנײַדער איז צוויי מאָל געקומען אָנקוקן די דירה איינער אַליין.

11. ווען ער האָט אָנגעקוקט די דירה האָט ער געשמעקט די ווענט, געקראָכן אויפֿן בוידעם און באַטראַכט דעם דאַך.
12. דאָס דריטע מאָל וואָס ער האָט אָנגעקוקט די דירה, האָט ער געבראַכט דאָס ווײַב מעניע.
13. זיליעס ווײַב מעניע זעט אויס ווי מעניע דעם שכנס קעלבל.
14. שפּעטער זײַנען אַנדערע מבֿינים געקומען אַליין אָנקוקן די דירה.
15. יעדער מבֿין האָט געפֿונען אַן אַנדער חסרון אויף דער דירה.
16. ס׳איז געבליבן, מע זאָל אַרױפֿברענגען הערש־לייב דעם מעכאַניק אָנצוקוקן די דירה.
17. פּיניעס טאַטע איז אַ מבֿין אויף דירות, אָבער ער איז נישט קיין ערלעכער מענטש.

ד

הערש־לייב טוט זיך אַ קראַץ אונטערן האַלדז און אַ זאָג: – אָט די דירה קען שטיין אַ יאָר הונדערט אויב נישט מער. זאָגט איינער אַ שנײַדער פֿון זיליע דעם שנײַדערס מבֿינים:

– גערויים! מע דאַרף נאָר פֿיר נײַע ווענט און אַ נײַעם דאַך, וועט זי שטיין און שטיין אם־ירצה־השם ביז משיח וועט קומען!

הערש־לייב ווערט זייער אין כּעס. ער האָט נאָר געוואָלט וויסן איין זאַך: „ווי האָט דאָס אין זיך אַ ייִד, אַ שנײַדער, אַ גנבֿ, אַזאַ חוצפּה צו רעדן מיט אים, מיט הערש־לייב דעם מעכאַניק, אַזעלכע ווערטער, מיט אַזאַ שפּראַך, מיט אַזאַ לשון?!"

איך בין אומזיסט געווען פֿריילעך: איך האָב געמיינט, אָט־אָט פֿליִען פּעטש. צום סוף האָט מען געמאַכט אַ שלום און מע האָט זיך אָנגעהויבן דינגען און מע האָט זיך אויסגעגלײַכט און מע האָט געשיקט נאָך בראָנפֿן און מע האָט געטרונקען לחיים. מע

האָט אונדז **געווינטשעוועט**, מיר זאָלן פֿאָרן געזונט און קומען געזונט און מאַכן גוטע געשעפֿטן און פֿאַרדינען אַ סך געלט און קומען צוריק אם־ירצה־השם...

– נישט אַזוי גיך קומט מען צוריק פֿון אַמעריקע! – זאָגט מײַן ברודער אליה און עס הייבט זיך אָן אַ שמועס וועגן אַמעריקע.

הערש־לייב ווינטשט זיך אַזאַ שטיק גאָלד, ווי מיר וועלן אַלע אם־ירצה־השם קומען צוריק פֿון אַמעריקע. ווען ניט דער **פּריזיוו**, וואָלט ער זײַן פֿיניען, זאָגט ער, נישט געלאָזט פֿאָרן קיין אַמעריקע. אַמעריקע, זאָגט ער, איז פּע! פֿרעגט אים זיליע דער שנײַדער, מיט וואָס איז אַמעריקע פּע? ענטפֿערט אים הערש־לייב: דערפֿאַר ווײַל אַמעריקע איז אַ **פּאַסקודנע** לאַנד. פֿרעגט אים ווידער אַ מאָל זיליע דער שנײַדער, פֿון וואַנען ווייסט ער, אַז אַמעריקע איז אַ פּאַסקודנע לאַנד? ענטפֿערט אים הערש־לייב, אַז ער פֿאַרשטייט דאָס **על־פּי שׂכל**. זאָגט אים זיליע, ער זאָל אים געבן צו פֿאַרשטיין דעם שׂכל. הייבט אָן הערש־לייב דער מעכאַניק צו **שטאַמלען**, געבן צו פֿאַרשטיין על־פּי שׂכל. נאָר עס קלעפּט זיך נישט אַ וואָרט צו אַ וואָרט, ווײַל ער איז שוין אַ ביסל **אונטערן גלעזל**. אַלע פֿילן זיך גוט, זייער זייער גוט. איך אויך, נאָר די מאַמע מײַנע **באַהאַלט** אַלע מינוט דאָס פּנים אין פֿאַרטעך אוןווישט די אויגן. מײַן ברודער אליה קוקט אויף איר און זאָגט צו איר שטילערהייט:

– **גזלנטע!** דו האָסט קיין רחמנות נישט אויף די אויגן! דו קוילעסט אונדז!...

טוט זיך אַ קראַץ (טאָן זיך אַ קראַץ)	gives himself a scratch
אַ יאָר הונדערט	about a hundred years
געוויס	sure, of course
די חוצפּה [כוצפּע]	nerve, impertinence
די פּעטש (דער פּאַטש)	slaps, smacks
זיך איסגעגלײַכט (אויסגלײַכן זיך)	arrived at a settlement
געטרונקען לחיים [לעכאַיִם] (טרינקען לחיים)	drank to each other's health
געווינטשעוועט (ווינטשעווען)	wished, congratulated
דער פּריזיוו/פּריזיוו	military conscription (in Czarist Russia)
פּאַסקודנע	rotten, nasty, loathsome
על־פּי שׂכל [אַלפּי סײכל]	according to reason
דער שׂכל	reason, sense
שטאַמלען	stammer, stutter
עס קלעפּט זיך נישט	it is not coherent (*lit.* "does not stick")
קלעפּט זיך (קלעפּן זיך)	sticks *intrans.*
אונטערן גלעזל	tipsy (*lit.* "under the glass")
דאָס גלעזל ← די/דאָס גלאָז ♦	little glass
באַהאַלט (באַהאַלטן)	hides (*stg.*)
די גזלנטע [גאַזלענטע]	robber, bandit (*fem., used ironically here*)

געניטונגען

I. שטעלט די זאַצן אין דעם ריכטיקן סדר.

א) אַלע פֿילן זיך גוט נאָר די מאַמע באַהאַלט די אויגן אין פֿאַרטעך און וויינט.
ב) הערש־לייב זאָגט, אַז ווען נישט דער פּריזיוו, וואָלט ער פּיניען נישט געלאָזט פֿאָרן קיין אַמעריקע.
ג) עס הייבט זיך אָן אַ שמועס וועגן אַמעריקע.
ד) הערש־לייב זאָגט, אַז די דירה קען שטיין אַ הונדערט יאָר.
ה) הערש־לייב קען נישט געבן צו פֿאַרשטיין על־פּי שׂכל פֿון וואַנען ער ווייסט אַז אַמעריקע איז אַ פּאַסקודנע לאַנד, ווײַל ער איז שוין אַ ביסל אונטערן גלעזל.
ו) מע האָט געטרונקען לחיים און זיי געווינטשעוועט, זיי זאָלן פֿאָרן געזונט און קומען געזונט און מאַכן גוטע געשעפֿטן און דערנאָך צוריקקומען.
ז) זיליע וויל, אַז הערש־לייב זאָל אים געבן צו פֿאַרשטיין דעם שׂכל פֿאַר וואָס אַמעריקע איז אַ פּאַסקודנע לאַנד.
ח) אליה שרײַט אויף דער מאַמען, זי זאָל נישט וויינען.
ט) פּעטש זײַנען נישט געפֿלויגן; מע האָט געמאַכט אַ שלום און מע האָט זיך אויסגעגלײַכט.
י) אַ שנײַדער זאָגט, אַז די דירה קען שטיין ביז משיח וועט קומען, אויב מע בויט אַ נײַעם דאַך און פֿיר נײַע ווענט.
יא) הערש־לייב ווערט אין כּעס אויף דעם „מבֿין" און פֿרעגט, ווי ער האָט אַזאַ חוצפּה צו רעדן מיט אים אַזעלכע ווערטער.
יב) אליה זאָגט, אַז מע קומט נישט צוריק אַזוי גיך פֿון אַמעריקע.
יג) הערש־לייב זאָגט, אַז אַמעריקע איז פֿע, ווײַל ס'איז אַ פּאַסקודנע לאַנד.
יד) זיליע דער שנײַדער פֿרעגט הערש־לייבן, מיט וואָס איז אַמעריקע פֿע?

ריכטיקער סדר

א) הערש־לייב זאָגט, אַז די דירה קען שטיין אַ הונדערט יאָר.
ב) ______________________________

ה

איצט האָט זיך אָנגעהויבן אַ נײַע חתונה – געזעגענען זיך. פֿון שטוב צו שטוב גייען מיר זיך געזעגענען. מיר זענען שוין געווען בײַ אַלע אונדזערע קרובֿים, שכנים און באַקאַנטע. בײַ אונדזער מחותּן, יונה דעם בעקער, האָבן מיר פֿאַרבראַכט אַ גאַנצן טאָג. אונדזערע מחותּנים האָבן געמאַכט פֿאַר אונדז אַ וואַרמעס, צונויפֿגערופֿן די משפּחה, געשטעלט ביר צום טיש.

מע האָט מיך אַוועקגעזעצט באַזונדער מיט מײַן שוועגערינס שוועסטערל. אַלטע הייסט זי. זי איז עלטער פֿון מיר מיט אַ יאָר און טראָגט צוויי צעפּלעך צונויפֿגעדרייט פֿון אונטן ווי אַ בייגל.

מע האָט זי מיר אַ מאָל גערעדט פֿאַר אַ כּלה. פֿון דעמאָלט אָן, אַז מע זעט אונדזביידן, רופֿט מען אונדז „די חתן־כּלה“. פֿונדעסטוועגן שעמען מיר זיך נישט רעדן צווישן זיך. זי פֿרעגט בײַ מיר, אויב איך וועל נאָך איר בענקען. געוויס וועל איך נאָך איר בענקען! נאָך דעם פֿרעגט זי מיך, אויב איך וועל איר שרײַבן בריוולעך פֿון אַמעריקע. געוויס וועל איך שרײַבן בריוולעך פֿון אַמעריקע!

מאָטל געזעגנט זיך מיט זײַן שטעטל.

– ווי אַזוי וועסטו שרײַבן? דו קענסט דען שרײַבן?

– אַ גרויסע זאַך אין אַמעריקע זיך אויסלערנען שרײַבן! – זאָג איך און האַלט די הענט אין די קעשענעס.

אַלטע קוקט אויף מיר און שמייכלט. איך ווייס וואָס זי

שמייכלט. זי מאַכט זיך אַ האַרץ. זי איז מיר מקנא, וואָס איך פֿאָר און זי נישט. אַלע זענען מיר מקנא.

איך לויף אַוועק צו אונדזער שכנה פּעסיע זיך געזעגענען מיט איר כאַליאַסטרע. אַ גרויסע כאַליאַסטרע. איך האָב אײַך שוין אַ מאָל דערציילט פֿון זיי. אַלע אַכט רינגלען מיך אַרום. זיי פֿרעגן מיך, צי בין איך צופֿרידן, וואָס איך פֿאָר קיין אַמעריקע. זיי זענען מיר גוט מקנא. מער פֿון אַלע איז מיר מקנא הערשל, אָט דער וואָס מע רופֿט אים „ושתּי“, דערפֿאַר וואָס ער האָט אַ גוליע אויפֿן שטערן. ער זיפֿצט און זאָגט צו מיר: „דו וועסט זיך עס אָנזען אַ וועלט!“

יאָ, איך וועל זיך אָנזען אַ וועלט! ווי דערלעבט מען שוין?!...

די חתונה [כאַסענע]	commotion (*lit.* "wedding")
געזעגענען זיך (מיט)	say goodbye (to), take leave (of)
די קרובֿים [קרויווים]	relatives
(דער קרובֿ [קאָרעוו])	relative
פֿאַרבראַכט (פֿאַרברענגען)	spent (time)
די מחותּנים [מעכוטאָנים]	relatives by marriage
דאָס וואַר(ע)מעס	lunch, dinner; main meal
געשטעלט צום טיש (שטעלן צום טיש)	put on the table
די צעפּלעך (דאָס צעפּל) ◆ ← דער צאָפּ	braids: (*dim.*)
פֿון אונטן	at the bottom (*here*, of her head)
זי (מיר) גערעדט פֿאַר אַ כּלה [קאַלע] (רעדן פֿאַר אַ כּלה)	proposed her as a bride (for me)
די כּלה [קאַלע]	bride
פֿונדעסטוועגן	nevertheless, yet
אַ גרויסע זאַך	a big deal
שמייכלט (שמייכלען)	smiles

מאַכט זיך אַ האַרץ (מאַכן זיך אַ האַרץ)	heart, makes herself brave
די כאַליאַסטרע	bunch, gang
רינגלען אַרום (אַרומרינגלען)	surround
זיך אָנזען אַ וועלט	see a lot of the world
אָנזען זיך	see one's fill

געניטונגען

I. קלײַבט אויס דאָס ריכטיקע וואָרט פֿון צווישן די פֿאָרגעלייגטע ווערטער אויף צו ענדיקן דעם זאַץ. די ווערטער מעג מען ניצן איין מאָל, מער מאָל, אָדער אין גאַנצן נישט.

1. עס האָט זיך אָנגעהויבן אַ נײַע ______ געזעגענען זיך.
2. זיי גייען פֿון שטוב צו שטוב זיך ______.
3. זיי האָבן ______ אַ גאַנצן טאָג בײַ זייער מחותּן, יונה דעם בעקער.
4. די מחותּנים האָבן ______ ביר צום טיש און געמאַכט פֿאַר זיי אַ ______.
5. מאָטלען האָט מען ______ לעבן ברכהס שוועסטערל אַלטע.
6. אַלטע טראָגט צוויי ______ צונויפֿגעדרייט פֿון אונטן ווי אַ בייגל.
7. עס האָט ברכהס שוועסטער אַ מאָל ______ מאָטלען פֿאַר אַ כלה.
8. כאָטש מע רופֿט זיי „די חתן־כלה" ______ זיך נישט מאָטל און אַלטע רעדן צווישן זיך.
9. מאָטל זאָגט, אַז געוויס וועט ער ______ נאָך אַלטען.

כאַליאַסטרע	אָנזען	וואַרעמעס	צעפֿלער	שעמען
חתונה	געבענקט	אויסלערנען	געוויס	געציפֿט
געצעלטען	מקנא	פֿאַרבראַכט	געשטעלט	גערעדט
בענקען	אַוועקגעזעצט			

10. ער זאָגט, אַז ________ וועט ער איר שרײַבן בריוולעך פֿון אַמעריקע.
11. מאָטל זאָגט, אַז ס'איז נישט קיין גרויסע זאַך זיך ____________ שרײַבן אין אַמעריקע.
12. אַלטע איז מאָטלען ____________, וואָס ער פֿאָרט קיין אַמעריקע און זי נישט. אַלע זענען אים ____________.
13. מאָטל לויפֿט צו פּעסילען זיך ____________ מיט איר קאַליאַסטרע.
14. די ____________ רינגלט מאָטלען אַרום און פֿרעגט אים, צי ער איז צופֿרידן, וואָס ער פֿאָרט קיין אַמעריקע.
15. הערשל איז אים ____________ מער פֿון אַלע.
16. זאָגנדיק אַז מאָטל וועט זיך ____________ אַ וועלט, האָט הערשל ____________.

קאַליאַסטרע	אָנזען	וואַרעמס	צעפּלעך	שעמען
חתונה	געבענקט	אויסלערנען	געוויס	געזיפֿצט
געזעגענען	מקנא	פֿאַרבראַכט	געשטעלט	גערעדט
בענקען	אַוועקגעזעצט			

ז

שוין געקומען לײַזער מיט די פֿערד! זיי קענען נישט אײַנשטיין אויף איין אָרט. איך ווייס ניט, וואָס איך זאָל טאָן פֿריִער: צי איך זאָל קוקן אויף די פֿערד, צי איך זאָל העלפֿן טראָגן די פּעקלעך מיט די קישנס אין וואָגן אַרײַן. איך שטיי בײַ די פֿערד און זע ווי מע טראָגט די פּעקלעך מיט די קישנס. אַ פֿולער וואָגן מיט פּעקלעך און מיט קישנס. אַ גאַנצער באַרג מיט בעטגעוואַנט. שוין צײַט צו פֿאָרן צו דער באַן.

אַלע זײַנען שוין דאָ: איך און מײַן ברודער אליה און מײַן שוועגערין ברכה און אונדזער חבֿר פּיניע און זײַן ווײַב טײַבל און

די גאַנצע משפּחה זייערע: פּיניעס טאַטע, הערש־לייב דער מעכאַניק, שניאור דער זייגער־מאַכער, פּיניעס **שוועער** און **שוויגער**, דער **מילנער** מיט דער **מילנערקע** און דער מומע קריינעס טאָכטער און אַפֿילו דער אַלטער זיידע רב העסיע איז אויך געקומען אָנזאָגן פּיניען, ווי אַזוי ער זאָל **זיך פֿירן** אין אַמעריקע. פֿון אונדזער משפּחה זענען געווען נאָר אונדזערע מחותּנים, יונה דער בעקער מיט זײַנע בנים. אַלע דרייען זיך אַרום אונדז, קוקן אויף אונדז, גיבן אונדז **עצות**, מיר זאָלן זײַן **געהיט פֿאַר גנבֿים**.

– אין אַמעריקע איז נישטאָ קיין גנבֿים.

אַזוי זאָגט מײַן ברודער אליה און **טאַפּט זיך** בײַ דער קעשענע, וואָס די מאַמע האָט אים **אײַנגענייט** אויף אַזאַ אָרט, וואָס קיין גנבֿ אין דער וועלט וועט ניט **אײַנפֿאַלן**, אַז דאָרט זאָל זײַן אַ קעשענע. דאָרט ליגט דאָס גאַנצע געלט, וואָס מיר האָבן פֿון פֿאַרקויפֿן אונדזער האַלבע דירה. אַ פּנים ס׳איז אַ סך. ווײַל אַלע פֿרעגן אים, צי האָט ער כאָטש גוט באַהאַלטן דאָס געלט?

– גוט! גוט! – זאָגט מײַן ברודער אליה.

אַלע הייבן אָן זאָגן, מע זאָל זיך געזעגענען. אָבער נישטאָ די מאַמע! ווו איז די מאַמע? קיינער ווייסט נישט, ווו איז די מאַמע! מײַן ברודער אליה איז אויסער זיך. אונדזער חבֿר פּיניע האָט אין גאַנצן פֿאַרלוירן דאָס **האַלדזטיכל**. לייזער **טרײַבט** אונדז. ער זאָגט, אַז מיר קענען פֿאַרשפּעטיקן די באַן. שאַט! אָט גייט די מאַמע. דאָס פּנים איז איר רויט. די אויגן **געשוואָלן**. מײַן ברודער אליה פֿרעגט בײַ איר:

– **וואָס איז** מיט דיר? ווו ביסטו געווען?

– **אויפֿן הייליקן־אָרט**, זיך געזעגענען מיטן טאַטן...

אַלע בלײַבן שטיין **אָן לשון**. זינט מיר פֿאָרן קיין אַמעריקע איז דאָס דאָס ערשטע מאָל, וואָס איך האָב געטראַכט וועגן דעם טאַטן. עס טוט מיר **אַ צופּ בײַם האַרצן**. איך טראַכט מיר: „אַלע

פֿאָרן קיין אַמעריקע און דער טאַטע נעבעך בלײַבט דאָ, אויפֿן הייליקן־אָרט, איינער אַליין...״

די פֿערד (**דאָס פֿערד**)	horses
אײַנשטיין	stand still
דער וואָגן	cart, buggy
די באַן	train
דער שווער	father-in-law
די שוויגער	mother-in-law
דער מילנער	miller
די מילנערקע	miller's wife or (*fem.*) miller
זיך פֿירן (**פֿירן זיך**)	act, conduct himself
די עצות [אייצעס]	(pieces of) advice
(**די עצה**) [אייצע]	
געהיט (**פֿאַר**)	careful/cautious (of)
די גנבֿים [גאַנאָווים]	thieves
(**דער גנבֿ**) [גאַנעף/גאַנעוו]	
טאַפּט זיך (**טאַפּן זיך**)	touches (one's pocket, nose, *etc.*)
אײַנגענייט (**אײַנניי**ען)	sewed in
אײַנפֿאַלן	occur (idea)
דאָס האַלדזטיכל	neckerchief
טרײַבט (**טרײַבן**)	pushes forward, urges
געשוואָלן	swollen
וואָס איז מיט דיר?	What's the matter with you? (*lit.* "What is with you?")
הייליקן־אָרט ← דאָס הייליקע־אָרט	cemetery (*lit.* "the holy place")
אָן לשון [לאָשן]	speechless (*lit.* "without language")
עס טוט מיר אַ צופּ בײַם האַרצן	it gives a tug at my heart
דער צופּ	tug, pang; pluck

געניטונגען

I. פֿאַר יעדן זאַץ, שרײַבט צי ער איז ריכטיק אָדער נישט־ריכטיק. אויב אַ זאַץ איז נישט־ריכטיק, שרײַבט אים איבער און בעסערט אים אויס.

1. לייזערס פֿערד קענען נישט אײַנשטיין אויף איין אָרט.
2. מאָטל העלפֿט טראָגן די פּעקלעך מיט די קישנס אין וואָגן אַרײַן.
3. פּיניעס גאַנצע משפּחה איז שוין דאָ, אַפֿילו זײַנע שווער און שוויגער, דער מילנער מיט דער מילנערקע.
4. דער זיידע רב העסיק איז געקומען אָנזאָגן פּיניען, ווי אַזוי ער זאָל זיך פֿירן אין אַמעריקע.
5. אַלע גיבן עצות, ווי אַזוי זיי זאָלן מאַכן אַ סך געלט אין אַמעריקע.
6. אליה זאָגט, אַז אין אַמעריקע איז פֿול מיט גנבֿים.
7. די מאַמע האָט אײַנגעגנייט אליהן אַ קעשענע אויף אַ באַהאַלטן אָרט וואָס איז שווער צו זען.
8. אין קעשענע ליגט אַ העלפֿט פֿון דעם געלט וואָס זיי האָבן פֿון פֿאַרקויפֿן זייער דירה.
9. אליה איז אויסער זיך, ווײַל מע דאַרף זיך געזעגענען און די מאַמע איז נישטאָ.
10. לייזער זאָגט, אַז מיט אים וועלן זיי ניט פֿאַרשפּעטיקן די באַן.
11. די מאַמע קומט פֿון דעם הייליקן־אָרט, ווו זי האָט זיך געזעגנט מיטן טאַטן.
12. זינט זיי פֿאָרן קיין אַמעריקע, האָט מאָטל אָפּט געטראַכט וועגן דעם טאַטן.
13. עס טוט מאָטלען אַ צופּ בײַם האַרצן, ווײַל אַלע פֿאָרן קיין אַמעריקע און דער טאַטע בלײַבט דאָ, נעבעך, איינער אַליין אויפֿן הייליקן־אָרט.

II. שפּילט אויס די סצענע מיט דער מאַמען.

ז

לאַנג טראַכטן לאָזט מען מיך נישט. מע הייסט מיר קריכן אויפֿן וואָגן. ווי אַזוי קען איך קריכן אויף אַזאַ הויכן וואָגן מיט אַזאַ באַרג מיט בעטגעוואַנט? ס׳איז דאָ אַן עצה: לייזער שטעלט מיר אונטער זײַנע ברייטע פּלייצעס. פּלוצעם ווערט אַ קרשעריי מיט אַ געוויין. ערגער ווי תּישעה־באָבֿ. מער פֿון אַלע וויינט די מאַמע. זי פֿאַלט אונדזער שכנה פּעסיע אויפֿן האַלדז און זאָגט: „איר זענט מיר געווען אַ שוועסטער. געטרײַער פֿון אַ שוועסטער!...” אונדזער שכנה פּעסיע וויינט נישט, נאָר איר גראָבער גוידער טרייסלט זיך און גרויסע טרערן קײַקלען זיך איבער אירע פֿעטע גלאַנצנדיקע באַקן. אַלע האָבן זיך צעקושט, נאָר פּיניע נאָך נישט.

זען פּיניען קושן זיך – דאַרף מען נישט קיין טעאַטער. ווײַל ער קען נישט גוט זען, טרעפֿט ער נישט ווו מע דאַרף. אָדער ער קושט אין באָרד אַרײַן, אָדער אין שפּיץ נאָז. איך זאָג אײַך, פֿון פּיניען קען מען בלײַבן אָן אַ בויך לאַכנדיק.

דאַנקען גאָט, מיר זיצן שוין אין וואָגן. דאָס הייסט איך האָב געוואָלט זאָגן: אויפֿן וואָגן. אויבן אָן, אויף די קישנס און צווישן די קישנס, זיצן: די מאַמע, ברכה און טײַבל. אַקעגן – מײַן ברודער אליה און אונדזער חבֿר פּיניע. איך זיץ מיט לייזערן. די מאַמע וויל אַפֿילו, איך זאָל מיך אַוועקזעצן בײַ איר צופֿוסנס. זאָגט אָבער מײַן ברודער אליה, אַז דאָרט וועט מיר זײַן בעסער. געוויס וועט מיר זײַן בעסער! דאָרט זע איך פֿאַר זיך די גאַנצע וועלט און די גאַנצע וועלט זעט מיך. לייזער נעמט די בײַטש. אַלע געזעגענען זיך נאָך. די ווײַבער וויינען.

– זײַט געזונט!

„זײַט געזונט! פֿאָרט געזונט! פֿאַרגעסט אונדז נישט!“

– פֿאָרט געזונט!
– שרײַבט אונדז פֿון אײַער געזונט!
– פֿאַרגעסט אונדז נישט!
– שרײַבט אַלע וואָך! יעדע וואָך אַ בריוו!
– **לאָזט גריסן** משהן, מיט בתיהן, מיט מאירן, מיט זלאַטען, מיט חנה־פּערלען, מיט שׂרה־רחלען מיט זייערע קינדער.
– זײַט געזונט! זײַט געזונט!

אַזוי שרײַען מיר אַלע פֿונעם וואָגן אַרויס און איך וואָלט געמעגט שווערן, אַז מיר פֿאָרן שוין. די **רעדער קאַטשען זיך**. מיר **שאָקלען זיך**. עס גלוסט זיך מיר זינגען. מיר פֿאָרן, מיר פֿאָרן, מיר פֿאָרן קיין אַמעריקע!

שטעלט (מיר) אונטער (אונטערשטעלן)	puts underneath (me)
די פּלייצעס (די פּלייצע)	shoulders
דאָס קושערײַ	kissing (*many people at once and for a long time)*
דער תּישעה־באָבֿ [טישעבאָוו]	the Ninth of Av, *a Jewish day of fasting and mourning in commemoration of the destruction of the Temple in Jerusalem, hence, a desolate mood*
געטרײַער ← געטרײַ	(more) loyal/devoted
דער גוידער	double chin
טרייסלט זיך (טרייסלען זיך)	shakes *intrans.*
קײַקלען זיך	roll *intrans.*
גלאַנצנדיק־ע	shining, gleaming
דער/די שפּיץ	tip, point

קאַפּיטל 8: **שאַט, מיר פֿאָרן קיין אַמעריקע!**

מיר פֿאָרן, מיר פֿאָרן, מיר פֿאָרן קיין אַמעריקע!

split one's sides laughing (*lit.* "remain without a stomach from too much laughing")	בלײַבן אָן אַ בויך לאַכנדיק
at the head	אויבן אָן
opposite	אַקעגן/אַנטקעגן
at the foot (of)	צופֿוסנס
(animal) whip	די בײַטש
send regards (to)	לאָזט גריסן (לאָזן גריסן)
wheels	די רעדער (די ראָד)
roll *intrans.*	קאַטשען זיך (קאַטשען זיך)
reel, rock *intrans.*	שאָקלען זיך (שאָקלען זיך)

געניטונגען

I. פֿאָרט צונויף דעם טוער מיט די טוונגען. שטעלט די ריכטיקע נומערן לעבן דעם טוער. שרײַבט איבער דעם זאַץ אָדער לייענט אים איבער אויף אַ קול.

1. ווײַנט מער פֿון אַלע.	מאָטל
2. האָט זיך נישט צעקושט מיט אַלעמען.	
3. נעמט די בײַטש און הייבט אָן פֿאָרן.	
4. קען נישט גוט זען און ווען ער קושט טרעפֿט ער נישט ווי מע דאַרף?	לייזער
5. וויל, אַז מאָטל זאָל זיך אַוועקזעצן בײַ איר צופֿוסנס.	
6. זאָגט, אַז עס וועט מאָטלען זײַן בעסער צו זיצן מיט לייזערן.	

7. וויינט נישט, נאָר איר גוידער טרייסלט זיך און טרערן קײַקלען זיך איבער אירע באַקן.	די מאַמע
8. שרײַען: „שרײַבט אַלע וואָך!"	
9. קושן זיך און וויינען, ערגער ווי תּישעה־באָבֿ.	די שכנה פּעסיע
10. קען נישט קריכן אויף אַזאַ הויכן באַרג מיט בעטלעוואַנט.	
11. שטעלט מאָטלען אונטער זײַנע ברייטע פּלייצעס און העלפֿט אים קריכן אויפֿן וואָגן.	אליה
12. פֿאַלט פּעסיען אויפֿן האַלדז און זאָגט איר, אַז זי איז איר געווען אַפֿילו געטרײַער פֿון אַ שוועסטער.	פּיניע
13. זיצט מיט לייזערן, ווײַל דאָרט זעט ער די גאַנצע וועלט און די גאַנצע וועלט זעט אים.	
14. געזעגענען זיך.	די מאַמע, ברכה און טײַבל
15. שרײַען, אַז מע זאָל לאָזן גריסן מענטשן אין אַמעריקע.	אַלע
16. זיצן אויף די קישנס און צווישן די קישנס.	

שלום־עליכם קומט קיין ניו־יאָרק.

YIDDISH-ENGLISH GLOSSARY

This Yiddish-English glossary lists in alphabetical order all of the Yiddish words used in this book. The glossary indicates the subchapter in which each word or expression first appears.

Translation

The translation of a specific word conveys its meaning as used in the text rather than its most common meaning. Where several different meanings of one word are used in the text, each meaning is given along with the number of the subchapter in which it first appears. For example:

faint; run out (ד4; ד5) או́יסגיין (גייט או́יס; איז או́יסגעגאַנגען).

Accent Marks

Accent marks are indicated both in this glossary and in the chapter glossaries as an aid to correct pronunciation. They can be found on the accented syllable of all words consisting of more than one syllable. Accents will also be found on one-syllable words when the plural creates a two-syllable word.

Gender

Noun gender is indicated by the article following the noun. Plurals are given only when they appear in the text. If, however, only the plural appears in the text, the singular is also given in this glossary. When a plural is given it is indicated by the ending in parentheses. If the plural introduces a change in either spelling or pronunciation, the plural form is given in its entirety.

Adjectives

Adjectives are given only in their base form even if they appear in declined form within the chapter.

Pronunciation

The pronunciation of words derived from *Loshn-koydesh* (traditional Hebrew and Hebrew-Aramaic) is indicated in phonetic Yiddish transcription in square brackets.

Diminutives

- All Yiddish nouns have a base form (די ראָד) and can theoretically have a diminutive (דאָס רעדל) and an iminutive (second diminutive) form (דאָס רעדעלע). Only those forms used in the text are given in this glossary. Therefore, some nouns are listed only in their base form while others are listed with their diminutive and iminutive forms as well.
- Both the diminutive and iminutive are preceded by a ◆.
- When a noun is given in the text in either of these forms, it is followed in the glossary by an arrow and then the base form only if the diminutive form is simply a smaller version of the same thing.
  For example:
  little calf　　קעלבל ◆, דאָס (← דאָס קאַלב)
- If the base form has a different meaning, the base form is not given. For example, גרעזעלע is a blade of grass, but גראָז is not a big blade of grass, but rather grass in general. Therefore only blade of grass גרעזעלע, דאָס is given.

Verbs

- All verbs are given in the infinitive followed by the third-person singular in the present tense, then the past participle in parentheses. איז preceding a past participle indicates that the past tense is formed with the verb זײַן. All other verbs are conjugated with האָבן.
- Verbs are conjugated regularly unless an irregularity is specifically noted.
- All past participles that appear in the chapter glossaries are listed here alphabetically without translation, followed by an arrow indicating the infinitive under which the translation will be found: אויסגעגאָסן ← אויסגיסן. Similarly, the present tense of complemented verbs listed in the chapter glossaries are given in the glossary followed by an arrow indicating the infinitive, for example: גיסן אַרײַן ← אַרײַנגיסן. The translation of the verb will be found under the infinitive.

א

אַ (ה4)	about, approximately
אַבי (ג2)	as long as, provided that
אַבי זיכער (א4)	as long as they're certain
אַ גרויסע זאַך ← זאַך	
אַגרעס (–ן), דער (ד3)	gooseberry
אַהין (ה7)	there, to that place
אַהינטאָן (טוט אַהין; אַהינגעטאָן) (ד5)	put (in no definite place)
אַהער (ה1)	here, to this place
אַוועקשטעלן זיך (שטעלט זיך אַוועק; זיך אַוועקגעשטעלט) (ב6)	place oneself (vertically); begin working (in standing position)
אויבן אָן (ז8)	at the head
אויוון, דער (ד7)	oven, stove, furnace
אויסגיין (גייט אויס; איז אויסגעגאַנגען) (ד4; ד5)	faint; run out
אויסגיסן (גיסט אויס; אויסגעגאָסן) (ג6)	pour out
אויסגלײַכן זיך (גלײַכט זיך אויס; זיך אויסגעגלײַכט) (ד8)	arrive at a settlement
אויסגעגאָסן ← אויסגיסן	
אויסגעזעסן ← אויסזיצן	
אויסגעקליבן ← אויסקלײַבן	
אויסגערעכנט ← אויסרעכענען	
אויסגעשטערנט (ג6)	full of stars
אויסהענגען (הענגט אויס; אויסגעהאָנגען) (ב6)	hang out *trans.*
אויסוויינען זיך (וויינט זיך אויס; זיך אויסגעוויינט) (ב1)	have a good cry

אויסווישן (ווישט אויס; אויסגעווישט) (1ב)	wipe, dry
אויסזיצן (זיצט אויס; איז אויסגעזעסן) (7ג)	sit it out, sit for the whole time
אויסלאָזן (לאָזט אויס; אויסגעלאָזט) (7ז)	take/let out (an emotion)
אויסנווייניק (= פֿון/אויף אויסנווייניק) (2א)	by heart
אויסער זיך (5ו)	beside oneself, furious
אויספֿאַרקויפֿן (פֿאַרקויפֿט אויס; אויסֿפֿאַרקויפֿט) (5ה)	sell out
אויסקלײַבן (קלײַבט אויס; אויסגעקליבן) (3ה)	choose
אויסרעדן דאָס האַרץ (רעדט אויס; אויסגערעדט דאָס האַרץ) (8ב)	console; reassure
אויסרעכענען (רעכנט אויס; אויסגערעכנט) (4ה)	figure out, calculate
אויסשיטן (שיט אויס; אויסגעשאָטן/אויסגעשיט) (3ב)	pour out (dry material)
אויסשפּײַען (שפּײַט אויס; אויסגעשפּיגן) (4ה)	spit out
אויף אַ קול [קאָל] (4ג)	in a loud voice
אויפֿגעוועקט ← אויפֿוועקן	
אויפֿהערן (הערט אויף; אויפֿגעהערט) (8א)	stop
אויפֿוועקן (וועקט אויף; אויפֿגעוועקט) (6ג)	awaken, arouse
אויפֿכאַפּן זיך (כאַפּט זיך אויף; זיך אויפֿגעכאַפּט) (1ה)	wake up
אויף צו להכעיס [צעלאַכעס] (2ב)	to spite, to make angry

for the *Shekhianu* blessing	אויף שהחיינו [שעכעיאָנו] (3ה)
for God's sake	אום גאָטס ווילן (8א)
for nothing, free	אומזיסט (4ד)
everywhere	אומעטום (5ד)
	אונטן ← פֿון אונטן
tipsy (*lit.* "under the glass")	אונטערן גלעזל (8ד)
put underneath someone	אונטערשטעלן (שטעלט אונטער; אונטערגעשטעלט) (8ז)
hop/bounce lightly	אונטערשפּרינגען (שפּרינגט אונטער; איז אונטערגעשפּרונגען) (7ו)
	אַזאַ יאָר אויף מיר ← יאָר
now, that's what you call…	אָט דאָס הייסט… (3ב)
featherbed	איבערבעט (־ן), דאָס (8א)
make up, be reconciled	איבערבעטן זיך (בעט זיך איבער; זיך איבערגעבעטן) (1ב)
break in half	איבערברעכן (ברעכט איבער; איבערגעבראָכן) (2ג)
turn over	איבערדרייען (דרייט איבער; איבערגעדרייט) (4ג)
turn upside down (*lit.* "turn its feet up")	איבערדרייען מיט די פֿיס אַרויף (4ג)
repeat, say over and over	איבערחזרן [איבערכאַזערן] (חזרט איבער [כאַזערט איבער]; איבערגעחזרט [איבערגעכאַזערט]) (2א)
redo (the feathers of a pillow); restuff into new pillowcases	איבערשיטן (שיט איבער; איבערגעשאָטן/איבערגעשיט) (8א)
wonderful! outstanding!	איי־איי־איי! (1ה)
not great, nothing special	נישט איי־איי־איי (1ה)
uppermost, top	אייבערשט (7ז)
little eye	אייגל ◆, דאָס (← דאָס אויג) (2ב)

אײַנבינדער, דער (ה2)	bookbinder
אײַנגעטונקען ← אײַנטונקען	
אײַנגעמאַכטס (–ן), דאָס (ג3)	preserves, jam
אײַנגענייט ← אײַננייען	
אײַנגעקנייטשט (ז3)	creased, wrinkled
אײַנגערוימט ← אײַנרוימען	
אײַנדעקן זיך (דעקט זיך אײַן; זיך אײַנגעדעקט) (א2)	cover; tuck oneself in
אײַנהאַלטן זיך (האַלט זיך אײַן; זיך אײַנגעהאַלטן) (ו1)	control oneself
אײַנוואַשן זיך (וואַשט זיך אײַן; זיך אײַנגעוואַשן) (ג5)	wash all around
אײַנטונקען (טונקט אײַן; אײַנגעטונקען) (ב5)	dip in
אײַננייען (נייט אײַן; אײַנגענייט) (ו8)	sew in
אײַננעמען (נעמט אײַן; אײַנגענומען) (ב3)	take (medicine)
אײַנפֿאַלן (פֿאַלט אײַן; איז אײַנגעפֿאַלן) (ו8)	(idea) occur
אײַנרוימען (אַ סוד [סאָד]) (רוימט אײַן; אײַנגערוימט (אַ סוד)) (ג5)	whisper (a secret)
אײַנשטיין (שטייט אײַן; איז אײַנגעשטאַנען) (ו8)	stand still
אײַנשטעלן זיך פֿאַר (שטעלט זיך אײַן; זיך אײַנגעשטעלט) (ב2)	defend, stand up for
אין דרויסן (ו1)	outside
אין כּעס [קאַ(אַ)ס] (ה7)	angry
אין רעכטן מאַכן (ב4)	in the midst of making
אַכטונג געבן (אויף) (גיט אַכטונג; אַכטונג געגעבן) (ג2)	look after; see to it that

אליה [עליִע] (1א)	*male name*
אַלמנה [אַלמאָנע], די (8א)	widow
אַלערליי (5ג)	all sorts of
אַלקער, דער (1ב)	alcove, small room
אם־ירצה־השם [אים־יִרצע(האַ)שעם/ מירצעשעם/מערטשעם] (5ה)	God willing
אמת [עמעס] (3א)	real, true
אָן אַ שיעור [שיִער] (5א)	without limit
אָנגיסן (גיסט אָן; אָנגעגאָסן) (4ה)	pour (liquid) *perf.*; serve (drinks), fill (glass *etc.*)
אָנגעזאָגט ← אָנזאָגן	
אָנגעטראָפֿן ← אָנטרעפֿן	
אָנגעפּאַקט ← אָנפּאַקן	
אָנגעפֿילט ← אָנפֿילן	
אָנגעקויפֿט ← אָנקויפֿן	
אָנגעשאָטן ← אָנשיטן	
אָנגעשפּיגן ← אָנשפּײַען	
אָנגעשריבן ← אָנשרײַבן	
אַנדער	other
דאָס אַנדערע מאָל (3ח)	the next time
די אַנדערע פֿון אונדז (3ה)	next door to us
אָנדערציילן זיך (דערציילט זיך אָן; זיך אָנדערציילט) (7ג)	narrate at length, tell (a large number of stories, *etc.*)
אָנהענגען (הענגט אָן; אָנגעהאָנגען) (2ג)	make hang; tie on, attach
אַנוֹ (1ב)	well then; let's see!; go ahead!
אָנזאָגן (זאָגט אָן; אָנגעזאָגט) (3ב)	inform; warn
אָנזען זיך (זעט זיך אָן; זיך אָנגעזען) (8ה)	see one's fill
אָנזען זיך אַ וועלט (8ה)	see a lot of the world

run away	אַנטלויפֿן (אַנטלויפֿט; איז אַנטלאָפֿן) (ה1)
water (animals); make drink	אָנטרינקען (טרינקט אָן; אָנגעטרונקען) (ג6)
happen upon	אָנטרעפֿן (טרעפֿט אָן; אָנגעטראָפֿן) (ב6)
fall asleep	אַנטשלאָפֿן ווערן (ווערט אַנטשלאָפֿן; איז אַנטשלאָפֿן געוואָרן) (ה1)
otherwise, or else, if not	אַנישט (ג2)
speechless (*lit.* "without language")	אָן לשון [לאָשן] (18)
pack full, cram	אָנפּאַקן (פּאַקט אָן; אָנגעפּאַקט) (ג6)
fill up	אָנפֿילן (פֿילט אָן; אָנגעפֿילט) (ב5)
no joke, seriously	אָן קאַטאָוועס (ד5)
buy in quantity	אָנקויפֿן (קויפֿט אָן; אָנגעקויפֿט) (ד5)
touch, lay hands on	אָנרירן (רירט אָן; אָנגערירט) (ג2)
instead of	אַנשטאָט (ה4)
pour, fill (with dry material)	אָנשיטן (שיט אָן; אָנגעשאָטן/ אָנגעשיט) (ב3)
gaze (at); delight (in)	אָנשפּיגלען זיך (אין) (שפּיגלט זיך אָן; זיך אָנגעשפּיגלט) (ו13)
spit on	אָנשפּײַען (שפּײַט אָן; אָנגעשפּיגן) (א8)
spit in someone's face (*lit.* "completely cover someone's face with spit")	אָנשפּײַען אַ פּולן פּנים [פּאָנעם] (א8)
play as much as one pleases	אָנשפּילן זיך (שפּילט זיך אָן; זיך אָנגעשפּילט) (ו13)
write down, set down in writing; finish writing	אָנשרײַבן (שרײַבט אָן; אָנגעשריבן) (ה5)
return, give back	אָפּגעבן (גיט אָפּ; אָפּגעגעבן) (ו15)
	אָפּגעזעסן ← אָפּזיצן

אָפּגעטראָגן ← אָפּטראָגן	
אָפּגעשפּריצט ← אָפּשפּריצן	
אָפּדאַרן (דאַרט אָפּ; אָפּגעדאַרט) (ח3)	dry up; shrivel
אָפּווישן (ווישט אָפּ; אָפּגעווישט) (ה2)	wipe (off)
אָפּזופּן (זופּט אָפּ; אָפּגעזופּט) (ה4)	finishes sipping
אָפּזיצן (זיצט אָפּ; איז אָפּגעזעסן) (ג7)	sit (a period of time)
אָפּטאָן אַ שפּיצל (טוט אָפּ; אָפּגעטאָן אַ שפּיצל) (ד4)	play a trick
אַפּטייק, די (ו1)	pharmacy, apothecary
אָפּטראָגן (טראָגט אָפּ; אָפּגעטראָגן) (ג6)	carry back
אָפּלאָזן (לאָזט אָפּ; אָפּגעלאָזט) (ב2)	let go
אַ פּנים [אַפּאָנעם] (ב1)	apparently, seemingly
אָפּענטפֿערן (ענטפֿערט אָפּ; אָפּגעענטפֿערט) (ד7)	answer back; refute
אָפּפֿירן (פֿירט אָפּ; אָפּגעפֿירט) (ה4)	take/lead (to one's destination); march someone off
אָפּרופֿן אויף אַ זײַט (רופֿט אָפּ; אָפּגערופֿן אויף אַ זײַט) (ג5)	take someone aside (for a talk)
אָפּרײַסן (רײַסט אָפּ; אָפּגעריסן) (ב2)	tear off
אָפּשטעלן (שטעלט אָפּ; אָפּגעשטעלט) (ז7)	stop, interrupt
אָפּשטעלן זיך (שטעלט זיך אָפּ; זיך אָפּגעשטעלט) (ב4)	stop, pause *intrans.*
אָפּשמײַסן (שמײַסט אָפּ; אָפּגעשמיסן) (ה2)	whip, spank
אָפּשפּריצן (שפּריצט אָפּ; אָפּגעשפּריצט) (ב6)	splash all over
אפֿשר [עפֿשער] (ג4)	maybe
אָקס (–ן), דער (ג6)	ox

אַקעגן/אַנטקעגן (ז8)	opposite
אַראָפּגליטשן זיך (גליטשט זיך אַראָפּ; זיך אַראָפּגעגליטשט) (ג8)	slide down
אַראָפּוואַרפֿן (וואַרפֿט אַראָפּ; אַראָפּגעוואָרפֿן) (ח3)	throw down
אַראָפּפֿאַלן בײַ זיך (פֿאַלט אַראָפּ; איז אַראָפּגעפֿאַלן בײַ זיך) (א5)	lose heart, give up (*lit.* “fall down in the eyes of oneself”)
אַרויסוואַרפֿן (וואַרפֿט אַרויס; אַרויסגעוואָרפֿן) (ט5)	throw/kick out
אַרויסטרײַבן (טרײַבט אַרויס; אַרויסגעטריבן) (א5)	expel, chase out
אַרויסלאָזן (לאָזט אַרויס; אַרויסגעלאָזט) (א1)	let out
אַרויסרײַסן זיך (רײַסט זיך אַרויס; זיך אַרויסגעריסן) (א1)	tear itself, burst forth
אַרומרינגלען (רינגלט אַרום; אַרומגערינגלט) (ה8)	surround
אַרטיקל, דער (א5)	commodity, something to sell
אַריבערשווימען (שווימט אַריבער; איז אַריבערגעשוווּמען) (ג7)	swim across
אַרײַנגיסן אין (גיסט אַרײַן; אַרײַנגעגאָסן) (ב4)	pour into
אַרײַנמישן זיך (מישט זיך אַרײַן; זיך אַרײַנגעמישט) (ד7)	break in (to a conversation); speak up
אַרײַנציִען (ציט אַרײַן; אַרײַנגעצויגן) (א1)	draw in
אַרן (אַרט; געאַרט) (ג2)	bother, concern
אַ שטאָט! ← שטאָט	
אַ שרעק! ← שרעק	

ב

באַגליקן (באַגליקט; באַגליקט) (8ב)	succeed, have good luck
באַגעגענען (באַגעגנט; באַגעגנט) (1ז)	meet; greet
באָד, די (3א)	communal bathhouse
באָדן זיך (באָדט זיך; זיך געבאָדן) (2ב)	swim, bathe
באַהאַלטן (באַהאַלט; באַהאַלטן) (8ד)	hide *(stg.)*
באַהאַלטן זיך (באַהאַלט זיך; זיך באַהאַלטן) (3ז)	hide oneself
באַווײַזן זיך (באַווײַזט זיך; זיך באַוויזן) (3ה)	appear, show up
באַטײַטן (באַטײַט; באַטײַט) (1ה)	mean, signify
באַטראַכטן (באַטראַכט; באַטראַכט) (1ד)	examine; observe
באַליע, די (4ה)	washtub
באַן, די (8ו)	train
באַצאָלן (באַצאָלט; באַצאָלט) (4ה)	pay
באַק (–ן), די (1ו)	cheek
באַקאַנטער, דער / באַקאַנטע, די (באַקאַנטע) (7ו)	acquaintance
באַקוקן (באַקוקט; באַקוקט) (1ד)	examine; observe
באַקלאָגן זיך (באַקלאָגט זיך; זיך באַקלאָגט) (1ו)	complain
באַר (–ן), די (3ד)	pear
באַרג, דער (3א)	mountain, hill
באַרג־אַראָפּ (1ה)	downhill
באַרימען זיך (באַרימט זיך; זיך באַרימט) (3ב)	boast, brag
באַשטעלן בײַ (באַשטעלט; באַשטעלט) (1ו)	apprentice to

באַשרײַבן (באַשרײַבט; באַשריבן) (3א)	describe
בהמה [בעהיימע], די (7ד)	head of cattle, cow; fool, moron
בוזעם־קעשענע, די (7א)	inside coat pocket
בויגן, דער (5ב)	sheet (of paper)
בוידעם, דער (3ה)	attic
בוליאָן, דער (1ב)	bouillon, broth
בולקע, די (3ב)	bread roll
בונד, דער (1ב)	binding
בופּלאָקס, דער (2ד)	buffalo
בזיון [ביזויען], דער (3ח)	shame, disgrace
בחורל [באָכערל] ◆, דאָס	boy, lad; young unmarried man
(← דער בחור [באָכער]) (1א; 5ו)	
בייזערן זיך (אויף) (בייזערט זיך;	be angry (with), scold
זיך געבייזערט) (1ז)	
בײַטש, די (8ז)	(animal) whip
ביינערדיק (1ו)	boney
בײַסן (בײַסט; געביסן) (5ו)	bite
ביליק (4ב)	cheap
בילן (בילט; געבילט) (3ד)	bark
ביסלעכווײַז (5ג)	little by little
בירושה [בעירושע] (4ג)	by inheritance, by heredity
בלאָטע, די (1ב)	nonsense! rubbish! (*lit.* "mud")
בלאַס (3ח)	pale
בלײַבן (בלײַבט; איז געבליבן) (2א)	remain, stay
בלײַבן אָן אַ בויך לאַכנדיק (8ז)	split one's sides laughing (*lit.* "remain without a stomach from too much laughing")
בליִען (בליט; געבליט) (3ה)	bloom
בנים [באָנים], די *pl.* (1ג)	sons
בעטגעוואַנט, דאָס (3ו)	bedding, bedclothes

בעטן זיך איבער ← איבערבעטן זיך	
בעל־עגלה (־עגלות), [באַלעגאָלע (-ס)], דער (ג6)	(wagon) driver, coachman
בענקען (נאָך) (בענקט; געבענקט) (ד1)	be homesick, long (for)
בערגל, דאָס (ז7)	pile, heap
בערישע פּיס (ג1)	two left feet (*lit.* "bearlike feet")
בראָנפֿן, דער (ג5)	liquor, whisky
ברוך [באָרעך] (ד2)	*male name*
ברוך־השם [באָר(ע)כאַשעם] (ו1)	Thank God (*lit.* "blessed is God")
ברכה [בראָכע] (ב4)	*female name*
ברעג, דער (ג6)	bank, shore
ברעכן (ברעכט; געבראָכן)	break
ברעכן די הענט (ה7)	wring one's hands (*lit.* "break ones hands")
ברעכן זיך (ברעכט זיך; זיך געבראָכן) (ב8)	suffer, toil (*lit.* "twist, contort")
בשורה [בסורע], די (א4)	news, announcement

ג

גאָט איז מיט דיר! (ד7)	What's the matter with you? (*lit.* "God is with you")
גאָט ליב אײַך מיט אײַער גאַסט! (ו1)	God love you with your guest, *a blessing for one who has received a guest*
גאַנדז, די (ד2)	goose
גאַסט, דער (ה1)	guest
גאָר (ג8)	altogether, completely
גאָר שפּעטער (ה2)	even later

גבאי [גאַבע], דער (2ד)	trustee (of a synagogue)
גבאיטע [גאַבעטע], די (2ד)	wife of trustee (of a synagogue)
גוואַלד, דער (8א)	hue and cry
גוטער־ברודער, דער (1ז)	comrade, friend (*lit.* "good brother")
גודער, דער (8ז)	double chin
גוליע, די (2ד)	growth; bump
גזלנטע [גאַזלענטע], די (8ד)	robber, bandit (*fem., used ironically here*)
גייט רעדט מיט (אַן אײַנבינדער)! (7א)	You can't argue with (a bookbinder)! (*lit.* "Go speak with a bookbinder")
גיין (גייט; איז געגאַנגען)	go, walk
גיין אַ סך [סאַך] (4ב)	it sells a lot (*lit.* "it goes a lot")
גיין מיט אײַך אין געוועט ← געוועט	
גייען אויס ← אויסגיין	
גילדן (–ס/גילדן), דער (4ג)	*(Rus.)* coin of 15 kopecks, *there are 100 kopecks in a ruble*
גיסן אַרײַן ← אַרײַנגיסן	
גיסן צו ← צוגיסן	
גלאַט (5ג)	just, simply
גלאַנצנדיק (8ז)	shining, gleaming
גלוסטן זיך (גלוסט זיך; זיך געגלוסט)	want/desire
עס גלוסט זיך אײַך (3ה)	you want/desire
גליטשן זיך אַראָפּ ← אַראָפּגליטשן זיך	
גליצערינע, די (5ב)	glycerine
גליק, דאָס (2ג)	good fortune/luck
גלעזערן (1ב)	(of) glass
גן־עדן [גאַניידן], דער (3א)	Garden of Eden, paradise

גנבֿ (–ים) [גאַ́נעף/גאַ́נעוו – גאַנאָ́ווים], דער (ז3; ו8)	thief
געבן (גיט; געגעבן)	give
געבן אַ רײַס אָפּ (ה3)	tear off
געבן זיך אַ שאָט אויס (ה7)	come spilling out, empty itself (*lit.* "give itself a spill out")
געהיט (פֿאַר) (ו8)	careful/cautious (of)
געהרגעטער [געהאַ́רגעטער], דער (געהרגעטע [געהאַ́רגעטע]) (ג6)	dead (*lit.* "murdered one")
געוויזן ← ווײַזן	
געוויין, דאָס (ה4)	crying, lament
געווינטשעוועט ← ווינטשעווען	
געוויס (ד8)	sure, of course
געוועט, דאָס (א1)	bet, wager
איך גיי מיט אײַך אין געוועט (א1)	I bet you
געזאַלצן (ה4)	salty
געזעגענען זיך (מיט) (געזעגנט זיך; זיך געזעגנט) (ה8)	say goodbye (to), take leave (of)
געטראַנק (–ען), דאָס (א4)	drink
געטרונקען לחיים ← טרינקען לחיים	
געטריבן ← טרײַבן	
געטרײַ (ו8)	loyal, devoted
געכאַפּט פּעטש ← כאַפּן פּעטש	
געליבט ← ליבן	
געמאַכט המוציא ← מאַכן המוציא	
געמאָסטן ← מעסטן	
געמישעכץ, דאָס (ב25)	mixture
געפּויקט ← פּויקן	
געפּועלט ← פּועלן	
געפּלאַצט ← פּלאַצן	

געפּײַפּט ← פּײַפּן	
געפֿעלן ווערן (ווערט געפֿעלן; איז געפֿעלן געוואָרן) (4ג)	be pleasing
געצוקערט ווערן (ווערט געצוקערט; איז געצוקערט געוואָרן) (13ו)	become sugary, crystallize
געקאָמאַנדעוועט ← קאָמאַנדעווען	
געקוילעט ← קוילען	
געקראַצט זיך ← קראַצן זיך	
גערעדט פֿאַר אַ כּלה ← רעדן פֿאַר אַ כּלה	
געשוואָלן (18ו)	swollen
געשטאָרבן ← שטאַרבן	
געשטעלט צום טיש ← שטעלן צום טיש	
געשמאַק (2א)	sound, with gusto (*lit.* "tasty, delicious")
געשעפּטשעט ← שעפּטשען	
גראָב (1ו)	fat; thick
גראַגער, דער (7ב)	gragger, *Purim noisemaker*
גרויסער טאָג, דער (6ב)	broad daylight
גרינג (1ד)	easy
גרינס, דאָס (1ו)	greenery, *brought in to decorate the house especially for Shavuot*
גרעזעלע, דאָס (1א)	blade of grass

ד

דאָך (1ב)	after all, obviously; still
דאַכטן זיך (דאַכט זיך; זיך געדאַכט) (3ד)	seem to, suppose
דאָס אַנדערע מאָל ← אַנדער	
דאָקטער (דאָקטוירים), דער (3ב)	doctor
דברן [דאַבערן] אויף (דברט [דאַבערט]; גערדברט [געדאַבערט]) (4ה)	talk ill of, inform on *(The less common Hebrew origin word is used so non-Jews won't understand)*
דווקא [דאַפּקע] (1ז; 2ה)	necessarily; exactly; in spite of that; deliberately
דורכגיין (גייט דורך; איז דורכגעגאַנגען) (3ד)	pass by/through
דורכגעפּאַטשט ← דורכפּאַטשן	
דורך טיר און דורך טויער (4ד)	very successfully (*lit.* "through door and gate")
דורכפּאַטשן (פּאַטשט דורך; דורכגעפּאַטשט) (5ו)	thoroughly smack/spank
די אַנדערע פֿון אונדז ← אַנדער	
די לעצטע צײַט ← לעצט	
דינגען זיך (דינגט זיך; זיך געדונגען) (7ד)	bargain
דירה [דירע], די (3ה)	apartment, dwelling
דעמאָלט (5ב)	then
דען (4א)	else, then *(after an interrogative pronoun or adverb)*
דעקן זיך אײַן ← אײַנדעקן זיך	
דערהערן (דערהערט; דערהערט) (2א)	hear, get wind of

דערהרגענען [דערהאַרגענען] (דערהרגעט [דערהאַרגעט]; דערהרגעט [דערהאַרגעט]) (3ח)	kill
דערווײַל (2ג)	meanwhile
דערוויסן זיך (דערוויסט זיך; זיך דערוווּסט) (2ב)	find out
דערטאַפּן (דערטאַפּט; דערטאַפּט) (3ז)	reach, get hold of
דערטרינקעניש, דאָס (4ג)	drowning
דעריבער (4ג)	therefore, consequently
דערלאַנגען (דערלאַנגט; דערלאַנגט) (1ב; 2א)	hand, pass; give a smack
דערלעבן (דערלעבט; דערלעבט) (6א)	live to see
דער עיקר ← עיקר	
דערפֿאַר וואָס (3א)	because
דערציילן (דערציילט; דערציילט) (3א)	tell (a story), narrate
דערציילן זיך אָן ← אָנדערציילן זיך	
דערקוויקעניש, דאָס (4ג)	quenching
דערקלערן (דערקלערט; דערקלערט) (3ז)	figure it out
דערשטיקט ווערן (ווערט דערשטיקט; איז דערשטיקט געוואָרן) (3ג)	suffocate *intrans.*
דערשרעקן זיך (דערשרעקט זיך; זיך דערשראָקן) (5ד)	be frightened

ה

האָבן (האָט; געהאַט)	have
האָבן און האָבן	have for a long time (*lit.* "have and have")
האָב צײַט! (1ה)	take your time! don't rush! (*lit.* "have time")
האָט איר עפּעס צו זיי? (8ב)	can you blame them? (*lit.* "do you have anything to them?")
האָבן מורא ← מורא האָבן	
האָבן פֿײַנט ← פֿײַנט האָבן	
האַלב עלף (1ז)	ten thirty
האַלדז, דער (5ה)	throat
האַלדזטיכל, דאָס (1ח)	neckerchief
האַלטן (האַלט; געהאַלטן)	hold, contain; keep
האַלטן אין איין (3ג)	continue ...ing without stopping
האַלטן זיך אַן עצה [אייצע] (מיט) (2ג)	consult (with)
האַלטן זיך איין ← אײַנהאַלטן זיך	
האַלטן צו ← צוהאַלטן	
האָלץ, דאָס (3ג)	wood
הו־האַ, דער (6ב)	hullabaloo, to-do
הויקער, דער (1ה)	hunchback
הולטײַ, דער (1א)	rascal, mischievous person; good-for-nothing
הוסטן (הוסט; געהוסט) (1ב)	cough
הורט (5ד)	wholesale
הורטאָווניק, דער (5ד)	wholesaler
הייזעריק (1ב)	hoarse
הייליקע־אָרט, דאָס (1ח)	cemetery (*lit.* "the holy place")
הײַנט (5ד)	if so *(before an interrogative pronoun or adverb)*

הײסט עס (8ב)	so, in that case, that is
הינטן (1א)	behind *adv.*
הינטערן = הינטער דעם (6א)	behind the
היפּש (8א)	considerable, substantial
היץ, די (4ד)	heat
הלוואַי [(ה)אַלעווײַ] (8ב)	God grant, I wish that...
המוציא [האַמױצע], די (5ו)	blessing over bread
העכערן (העכערט; געהעכערט) (7ד)	raise (price, wages)
הענגקאָלנער, דער (3ב)	cape
הערן (הערט; געהערט)	hear, obey, listen to
הערן ווי המן [האָמען] דעם גראַגער (7ב)	not listen to someone/something (*lit.* "hear as Haman hears the gragger")

ו

וואָגן, דער (8ו)	cart, buggy
וואָלוול (5ה)	cheap
וואָלקן (–ס), דער (1א)	cloud
וואָנצעס, די *pl.* (1ב)	mustache
וואָס איז מיט דיר? (7ד)	What's the matter with you? (*lit.* "What is with you?")
וואָס וועט זײַן פֿון (מיר/דיר/אים...)? (3א)	What will become of (me/you/him...)?
וואָס מער (4ב)	the more
וואָסער (4א)	which, what, what sort of
וואַסער־פֿירער (–ס), דער (2ג)	water carrier
וואַר(ע)מעס, דאָס (8ה)	lunch, dinner; main meal

וואָרף, דער (ז7)	throw, toss
ווּ האַלט דער זייגער? ← זייגער	
ווויל (ג5)	good, nice
ווּנק, דער (ב1)	wink, glance, signal
ווי איך בין אַ ייִד (ג6)	no kidding, upon my word (*lit.* "as I am a Jew")
ווי באַלד (ד3)	since, as
וויגן (וויגט; געוויגט) (ה1)	rock *trans.*
ווידער (אַ מאָל) (ב5)	(over) again, once more
ווײַב (–ער), דאָס (ח3)	wife; (married) woman
ווײַבל ◆ (–עך), דאָס (ו1)	young married woman
ווײַזן (ווײַזט; געוויזן) (ב1)	show
ווײַמפּערל (–עך), דאָס (ד3)	currant
וויינען זיך אויס ← אויסוויינען זיך	
ווײַנשל (–), דער (ד3)	sour cherry
ווינד איז מיר (ה7)	woe is me
ווינקען (ווינקט; געווונקען) (ז1)	wink, give a signal
ווישן (ווישט; געווישט) (ד8)	wipe
ווישן אויס ← אויסווישן	
ווישן אָפּ ← אָפּווישן	
ווען נישט (ד4)	if not for (*lit.* "when not")
ווער, וואָס? (ה7)	no such thing (*lit.* "who, what?")
ווערן אַנטשלאָפֿן ← אַנטשלאָפֿן ווערן	
ווערן געצוקערט ← געצוקערט ווערן	
ווערעמדיק (ז3)	wormy, worm-eaten
וועש, דאָס/די (ג6)	wash, laundry
וועשערין (–ס), די (ג6)	washerwoman
ושתּי [וואַשטע] (ד2)	*female name; character in the Book of Esther who had a growth or bump on her forehead*

ז

thing	זאַך, די
a big deal	אַ גרויסע זאַך (8ה)
How should I know/could I predict (*lit.* "should I be a prophet")	זאָל איך זײַן אַ נבֿיא [נאָווי] (7ה)
sour	זויער (4ב)
sip, slurp	זופּן (זופּט; געזופּט) (4ה)
	זופּן אָפּ ← אָפּזופּן
farewell, good-bye	זײַ־געזונט, דער (8ב)
clock, watch	זייגער, דער
What time is it? (*lit.* "Where is the clock holding?")	ווו האַלט דער זייגער? (1ז)
my watch has stopped (*lit.* "my watch stands")	מײַן זייגער שטייט (1ז)
side, irrelevant, extraneous	זײַטיק (1ז)
excuse, pardon, forgive (me)	זײַ(ט) מוחל [מויכל] (8א)
sigh	זיפֿצן (זיפֿצט; געזיפֿצט) (6א)
very seldom	זעלטן־זעלטן (13)
vest	זשילעט, דער (1ד)
so, then	זשע (6ב)

ח

חבֿר (–ים) [כאַווער – כאַווײרים], דער (3א)	friend
חדר [כײדער], דער (1ו)	room
חודש [כוידעש], דער (4א)	month
חוצפּה [כוצפּע], די (8ד)	nerve, impertinence
חזיר [כאַזער], דער (7ד)	pig, pork
חזרט איבער ← איבערחזרן	
חיים [כאַיִם] (2ד)	*male name*
חלום [כאָלעם], דער (1ה)	dream
חלילה [כאָלילע] (1ז)	God forbid
חסרון (–ות) [כיסאָרן – כעסרוינעס], דער (1ב; 5ג)	fault, drawback, defect
חתונה [כאַסענע], די (8ה)	commotion (*lit.* "wedding")
חתן [כאָסן], דער (15)	bridegroom (-to-be)

ט

טאָוול, דער (2ה)	book cover
טאָמער (15)	perhaps; in case, in the event
טאָן (טוט; געטאָן)	do
טאָן אַ וואָרף אַרײַן (7ז)	give a throw in
טאָן אַ צופּ בײַם האַרצן (8ו)	give a tug at the heart
טאָן אַ שפּרונג אונטער (7ו)	do/give a little jump/hop
טאָן זיך (טוט זיך; זיך געטאָן) (3ה)	go on, happen
טאָן זיך אַ קראַץ (8ד)	give oneself a scratch
טאָפּ, דער (5ב)	pot

touch (one's pocket, nose, *etc.*)	טאַפּן זיך (טאַפּט זיך; זיך געטאַפּט) (8ו)
indeed	טאַקע (א2)
cockroach	טאַראַקאַן (–עס), דער (א5)
tumult, commotion	טאַרעראַם, דער (ב5)
nature, character	טבֿע [טעווע], די (ג3)
be fit	טויגן (טויג; געטויגט) (ב4)
	טויגן נישט ← נישט טויגן
death	טויט, דער (ב3)
dead man	טויטער, דער (1ו)
noise, stir	טומל, דער (ה4)
dip in	טונק איַין, דער (ג5)
river	טײַך, דער (ה1)
ink	טינט (–ן), די/דער (ב4)
deep	טיף (א1)
taste	טעם [טאַם], דער (3ו)
very delicious (*lit.* "taste of paradise")	טעם־גן־עדן [טאַם־גאַנײדן] (ה4)
argue; plead	טענהן [טײַנען] (טענהט [טײַנעט]; געטענהט [געטײַנעט]) (א8)
footstep	טראָט (טריט), דער (5ו)
shipment	טראַנספּאָרט, דער (ג5)
drop	טראָפּן, דער (ד4)
dry	טרוקן (טרוקענער) (1ז)
	טריט ← טראָט
try to drive out; push forward, urge	טרײַבן (טרײַבט; געטריבן) (ב7; 8ו)
	טרײַבן אַרויס ← אַרויסטרײַבן
shake *intrans.*	טרייסלען זיך (טרייסלט זיך; זיך געטרייסלט) (8ז)

טרינקען לחיים [לעכאַ́יִם] (טרינקט; געטרונקען לחיים) (ד8)	drink to each other's health
טרעפֿן (טרעפֿט; געטראָפֿן) (ה2; ב6)	guess; hit; meet
טרער (–ן), די (ה5)	tear
טשוואָק, דער (ז3)	nail (hardware)
טשירקון, דער (א6)	cricket
טשערנאָהוז, דער (ד2)	stork

י

יאָר, דאָס	year
אַזאַ יאָר אויף (מיר) (ה4)	I swear it's good (*lit.* "such a year on (me)")
פֿאַר אַ יאָרן (א8)	last year
צו אַל די שוואַרצע יאָר (א6)	to the devil (*lit.* "to all the black years")
יוון [יאָוון], דער (ה4)	Russian or Ukrainian soldier or policeman
יושר [יוישער], דער (ד7)	justice, fairness
ים [יאַם], דער (ב8)	sea
יענע וועלט (א3)	that world, referring to the other world, *i.e.,* the hereafter
יתגדל ויתקדש שמה רבא [ייִסגאַדאַל וועיִסקאַדעש שמיי ראַבע] (א2)	"Magnified and sanctified be His name," *first words of kaddish, prayer for the dead*
יתום [יאָסעם], דער (א2)	orphan

כּ

כּדי [קעדיי] (4ג)	so that
כּישוף־מאַכער [קישעף], דער (7ג)	magician
כּלה [קאַלע], די (8ה)	bride
← רעדן פֿאַר אַ כּלה	
כּמעט [קימאַט] (1ה)	almost, nearly
כּסדר [קעסיידער] (6א)	constantly

כ

כאָטש (1ו)	at least
כאַליאַסטרע, די (8ה)	bunch, gang
כאַפּן (כאַפּט; געכאַפּט) (2ד)	grab, catch
כאַפּן אַ שימל (3ו)	become a little mo(u)ldy
כאַפּן פּעטש (2ד)	get slapped/smacked (*lit.* "catch slaps")
כאַפּן זיך (כאַפּט זיך; זיך געכאַפּט) (3ז)	rush, be hasty
כאַפּן זיך אַז (3ז)	discover, realize that
כאַפּן זיך אויף ← אויפֿכאַפּן זיך	
נישט געכאַפּט! ← נישט געכאַפּט!	

ל

לאה [לײַע] (2ד)	*female name*
לאָזן (לאָזט; געלאָזט/געלאָזן) (3ד)	let
לאָזן גריסן (8ז)	send regards (to)
לאָזן זיך הערן (6א)	be heard (*lit.* "let itself be heard")
לאָז דאָס גיין אין דר'ערד אַרײַן! (8ב)	May it go to the devil! (*lit.* "Let it go into the earth!")
לאָז זיך (אים) דאַכטן אַז (3ד)	let (him) suppose that; if one even supposes/gets the impression that
לאָזן צו ← צולאָזן	
לאַחדים [לאַכאָדים] (5ד)	(at) retail
לאַמטערן (–ס), דער	lantern
לבֿנה [לעוואָנע], די (6א)	moon
להבֿדיל [לעהאַוודל] (1ד)	excuse the comparison, *expression used to make a distinction between things of a different order (i.e., sacred and profane, high and low, etc.) mentioned one after the other*
לויבן (לויבט; געלויבט) (4ג)	praise
לויט (2ד)	according to
ליגן, דער (2ד)	lie
ליידיק (1ב)	empty
לײַכטן (לײַכט; געלויכטן) (4א)	shine
ליים, די/דאָס (1ו)	clay
לײַען (לײַט; געליגן/געלײַען) (5ו)	lend
ליקער (–ן), דער (4ב)	liquor
לכּבֿוד [לעקאָוועד] (1ו)	in hono(u)r of

למשל [לעמאָשל] (3א)	for example
לעצט	last
די לעצטע צײַט (1ד)	lately, of late
לצעווען [לעצעווען] פֿון (לצעוועט [לעצעוועט]; געלצעוועט [געלעצעוועט]) (2ה)	scoff at, tease

מ

מאָדנע (1ו)	strange, odd
מאַכן (מאַכט; געמאַכט)	make, do
מאַכן אַ גוואַלד (8א)	raise a cry
מאַכן אַ לעבן (8ב)	make a living
מאַכן המוציא [האַמויצע] (15ו)	say (*lit.* "make") the blessing over bread
מאַכן זיך אַ האַרץ (8ה)	take heart, make oneself brave
מאַכן פֿון טויט לעבעדיק (3ב)	make one come alive (from death)
מאַלענע (–ס), די (3ד)	raspberry
מאָנאַט, דער (4א)	month
מאַנצבילש (3ג)	masculine
מאָרדע, די (8ג)	chin (usually of an animal); snout
מאַרק, דער (8ג)	market
מבֿין (–ים) [מייוון – מעווינים], דער (8ג)	expert
מוחל [מויכל] זײַן (איז מוחל; האָט מוחל געווען) (3ח)	excuse, pardon, forgive
מוטשען זיך (מוטשעט זיך; זיך געמוטשעט) (8ב)	toil, slave; suffer
מורא [מוירע] האָבן (האָט מורא; מורא געהאַט) (3ח)	be afraid
מוראדיק [מוירעדיק] (3ד)	frightening, dreadful

מחותּן (–ים) [מעכוּטן – מעכוטאָנים], דער (1ד; 6ג; 8ה)	male relative by marriage, *here,* future father-in-law; one who is familiar or pretends to be familiar with someone or something
מחיה [מעכײַע] זײַן זיך (איז זיך מחיה; האָט זיך מחיה געווען) (4ג)	be delighted/thrilled
מיאוסקייט (–ן) [מיִ(ע)סקייט (-ן)], די/דאָס (5א)	something ugly/loathsome
מיוחס [מעיוּכעס], דער (2א)	privileged character; person from a respected family
מיט גוטן (8ב)	kindly, with good demeano(u)r (*lit.* "with goodness")
מײַזן־טרײַבער, דער (7ד)	mouse catcher *(person)*
מײַן זייגער שטייט ← זייגער	
מײַנע אַן אײגענע (8ב)	one of my kin *(refers to a woman)*
מיך צעלאַכן ← צעלאַכן זיך	
מילנער, דער (1ח)	miller
מילנערקע, די (1ח)	miller's wife or miller *(fem.)*
מין [מין], דער (4ב)	kind, sort
מיסט, דאָס (7ד)	rubbish, garbage
מישן זיך אַרײַן ← אַרײַנמישן זיך	
מכשפֿה [מאַכשײפֿע], די (3ז)	witch
מן־הסתּם [מינאַסטאָם] (1ו)	probably
מנשה [מענאַשע] (3א)	*male name*
מנשהכע [מענאַשעכע] (3א)	Mrs. Menashe, *not really her name*
מעבל, דאָס (2א)	furniture
מעגלעך (8ב)	possible
מעל, די/דאָס (3ב)	flour
מענטשלעך (2ד)	human

מעסטן (מעסט; געמאָסטן) (1ג)	measure
מקבל [מעקאַבל] זײַן (איז מקבל; האָט מקבל געווען) (1ז)	receive
מקנא [מעקאַנע] זײַן (איז מקנא; האָט מקנא געווען) (2ב)	be envious/jealous of
משה [מוישע] (2ה)	*male name*
משל [מאָשל], דער (3א)	example

נ

נאָגל (נעגל), דער (5ו)	fingernail
נאָכגעמאַכט ← נאָכמאַכן	
נאָך דעם (2ה)	after that
נאָכווייעניש (–ן), דאָס (6א)	aftermath, (painful) aftereffect
נאָכמאַכן (מאַכט נאָך; נאָכגעמאַכט) (1א)	imitate, copy
נאָכפֿרעגן זיך (אויף) (פֿרעגט זיך נאָך; זיך נאָכגעפֿרעגט) (4א)	inquire/ask (after)
נאַס (1א)	wet, damp
נאָענט (6ג)	close, near
נאַקעט (8א)	naked
נאַר, דער (5ה)	fool
נאָרע (–ס), די (7ג)	lair, den
נאַשער, דער (2ד)	person with a sweet tooth
נבֿיא [נאָווי], דער (7ה)	prophet
נודניק, דער (8ג)	bore, pest
נחמן [נאַכמען] (1ג)	*male name*
ניגון [ניגן], דער (4ג)	melody, tune

ניסן (ניסט; גענאָסן/גענ׳יסט) (7א)	sneeze
ניסערײַ, די/דאָס (7ה)	sneezing *(intense and by more than one person)*
ניץ ← צו ניץ	
נישט אײַ־אײַ־אײַ ← אײַ־אײַ־אײַ	
נישט־גוטער, דער (6א)	demon, evil spirit, ghost (*lit.* "not good one")
נישט געכאַפּט! (7ז)	take it easy! not so fast!
נישט טויגן (טויג נישט; נישט געטויגט) (4ב)	be no good
נישט טויט, נישט לעבעדיק (4ה)	more dead than alive (*lit.* "not dead, not alive")
נסיעה [נעסיִע], די (8א)	(long) trip, journey
נעבעך (3א)	poor, unfortunate, poor thing(s)
נעגל ← נאָגל	
נעמען (נעמט; גענומען)	take
נעמען די פּיס אויף די פּלייצעס (4ה)	get out of there quickly (*lit.* "take one's feet on one's shoulders")
נשמה (נשמות) [נעשאָמע (-ס)], די (3א)	soul

ס

right at the door	סאַמע בײַ דער טיר (ג1)
soprano of the sopranos, *i.e.,* the best of the sopranos	סאָפּראַנאָ שבסאָפּראַנאָ [שעבעסאָפּראַנאָ] (ד1)
section of the Pentateuch assigned for a week's reading; *here,* theme of discussion	סדרה [סעדרע], די (א7)
secret	סוד [סאָד], דער (ב4)
stock, goods	סחורה [סכוירע], די (ה5)
carpenter	סטאָליער (–ס/סטאָליאַרעס), דער (ג1)
stop *(English word used as an advertising gimmick)*	סטאָפּן (סטאַפּט; געסטאָפּט) (א4)
ceiling	סטעליע, די (ג8)
big letters in square Hebrew characters, done in calligraphy (*lit.* "prayer book letters")	סידור־אותיות [סידער־אויסיעס], די *pl.* (ה5)
unless, except for	סײַדן (ב1)
anyhow	סײַ ווי סײַ (ג6)
sign	סימן [סימען], דער (ב7)
deadly poison	סם־המוות [סאַם־(ה)אַמאָוועס], דער (א7)
Jewish religious book	ספֿר (–ים) [סייפֿער – ספֿאָרים], דער (ב1)

ע

עדות [אײדעס], דער (3ז)	witness
עטלעכע (3ז)	several
עיקר [איקער], דער (3ז)	main thing
דער עיקר (7א)	mainly, above all
עלנבויגן, דער (2א)	elbow
עלעהײ (7ה)	as if
על־פּי שׂכל [אַלפּי סײכל] (8ד)	according to reason
עמוד [אָמעד], דער (1א)	pulpit where the cantor stands
עמער (–/ס), דער (4ד)	bucket, pail
ענטפּערן אָפּ ← אָפּענטפּערן	
עס גייט אַ סך ← גיין אַ סך	
עס גלוסט זיך אײַך ← גלוסטן זיך	
עס טוט מיר אַ צופּ בײַם האַרצן ← טאָן אַ צופּ בײַם האַרצן	
עס עקט זיך די וועלט ← עקן זיך	
עס קלעפּט זיך נישט ← קלעפּן זיך	
עסיק, דער (4ב)	vinegar
עסק [אײסעק], דער/דאָס (1ב)	business, concern
עפּעס אַ מין [מין] (4ב)	some kind of a
עצה (עצות) [אײַצע (-ס)], די (2ג; 18)	(piece of) advice
עק, דער (2ג; 2ה)	tail; end
עקן זיך (עקט זיך; זיך געעקט) (1ז)	be extremely impatient
עס עקט זיך די וועלט (7ב)	it ends all, *i.e.,* extraordinary (*lit.* "the world is ending")
ערגעץ (3א)	somewhere
ערלעך (8ג)	honest; straightforward

פּ

פּאַטש (פּעטש), דער (8ד)	slap, smack
פּאָליציי, די (4ה)	police; police station
פּאַסן (פּאַסט; געפּאַסט) (4ג)	be suitable/proper
פּאַסקודנע (8ד)	rotten, nasty, loathsome
פּאַפּ, דער (7א)	paste
פּאַקן־טרעגער, דער (1ב)	book peddler
פּאַרקאַן, דער (3ד)	fence
פּויקן (פּויקט; געפּויקט) (7ב)	drum; let everyone know
פּונקט (1א)	exactly
פּוסט (8ג)	empty
פּועלן [פּוי(ע)לן] (פּועלט [פּוי(ע)לט]; געפּועלט [געפּוי(ע)לט]) (7א)	convince, persuade
פּופּיק, דער (1ב)	navel, belly button; *affectionate term for a child*
פּטור [פּאַטער] (פֿון) (2א)	exempt (from), free (of)
פּינטלען (פּינטלט; געפּינטלט) (3ב)	blink
פּיסקעלע ♦ (–ך), דאָס (← דער פּיסק) (3ה)	snout or (animal) mouth; *humorous word for mouth, here,* top of the berry
פּלאַצן (פּלאַצט; געפּלאַצט) (5ג)	burst
פּלוצעם (1ג)	suddenly
פּליוך, דער (6א)	splash
פּלייצע (–ס), די (8ז)	shoulder
פּעטש ← פּאַטש	
פּראָשיק (פּראָשקעס), דער (3ב)	powder
פּרווו, די (7א)	test
פּריזיוו/פּריזיוו, דער (8ד)	military conscription (in Czarist Russia)

lord; high-and-mighty	פּריץ [פּאָרעץ], דער (3ב)
means of making a living; sustenance	פּרנסה [פּאַרנאָסע], די (4א)
cook down (jam); fry	פּרעגלען (פּרעגלט; געפּרעגלט) (3ג)

פּ

thread	פּאָדעם, דער (3ה)
obey	פּאָלגן (פּאָלגט; געפּאָלגט) (1ד)
	פּאַלן אַראָפּ בײַ זיך ← אַראָפּפּאַלן
barrel	פּאַס, די/דאָס (2ג)
little barrel	פּעסל ◆, דאָס (4ג)
last year	פּאַר אַ יאָרן (8א)
past	פּאַרבײַ (3ד)
remain	פּאַרבלײַבן (פּאַרבלײַבט; איז פּאַרבליבן) (7ז)
spend (time)	פּאַרברענגען (פּאַרברענגט; פּאַרבראַכט/פּאַרברענגט) (8ה)
pleasure	פּאַרגעניגן, דאָס/דער (1ג)
earn	פּאַרדינען (פּאַרדינט; פּאַרדינט) (4א)
upset, annoy	פּאַרדריסן (פּאַרדריסט; פּאַרדראָסן) (2ה)
tearful	פּאַרוויינט (6ב)
taken care of, provided for	פּאַרזאָרגט (4א)
taste	פּאַרזוכן (פּאַרזוכט; פּאַרזוכט) (3ה)
ready, ripe	פּאַרטיק (3ה)
apron	פּאַרטעך, דער/דאָס (1ב)
absent-minded	פּאַרטראָגן (פּאַרטראָגענער) (8ג)

פֿאַרטרײַבן (פֿאַרטרײַבט; פֿאַרטריבן) (7ב)	expel, chase out
פֿאַרליבן זיך (אין) (פֿאַרליבט זיך; זיך פֿאַרליבט) (2ג)	fall in love (with)
פֿאַרמעגן, דאָס (5ד)	vast sum, fortune
פֿאַרפֿאַלן (2ד)	no use! hopeless
פֿאַרפֿינצטערט (6ג)	made bitter, darkened
פֿאַרפֿלייצונג, די (6א)	flood
פֿאַרפֿלייצן (פֿאַרפֿלייצט; פֿאַרפֿלייצט) (5א)	flood
פֿאַרקויפֿן (פֿאַרקויפֿט; פֿאַרקויפֿט) (1ב)	sell
פֿאַרקויפֿן זיך (פֿאַרקויפֿט זיך; זיך פֿאַרקויפֿט) (5ו)	be sold, *passive*
פֿאַרקייטלען (פֿאַרקייטלט; פֿאַרקייטלט) (5ב)	lock with a chain
פֿאַרקילן זיך (פֿאַרקילט זיך; זיך פֿאַרקילט) (1ז)	catch cold
פֿאַרקרימען זיך (פֿאַרקרימט זיך; זיך פֿאַרקרימט) (4ה)	make a sour face
פֿאַרשטאַנד, דער (1ד)	understanding, judgment
פֿאַרשטייט זיך (1ד)	of course, naturally
פֿאָרשטעלן זיך (שטעלט זיך פֿאָר; זיך פֿאָרגעשטעלט) (6ג)	imagine
פֿאַרשליסן זיך (פֿאַרשליסט זיך; זיך פֿאַרשלאָסן) (4ב)	lock oneself in
פֿאַרשמירן (פֿאַרשמירט; פֿאַרשמירט) (6ב)	smear over
פֿאַרשעמען זיך (פֿאַרשעמט זיך; זיך פֿאַרשעמט) (2ב)	become embarrassed/ashamed

פֿאַרשפּעטיקן (פֿאַרשפּעטיקט; פֿאַרשפּעטיקט) (4א)	be/arrive too late
פֿאַרשרײַבן (פֿאַרשרײַבט; פֿאַרשריבן) (1ז)	prescribe
פֿון אונטן (8ה)	at the bottom
פֿונדעסטוועגן (7ב)	nevertheless, yet
פֿון וואַנען (2ב; 3ד)	from where; how
פֿײַנט האָבן (האָט פֿײַנט; פֿײַנט געהאַט) (7א)	hate
פֿײַפֿן (פֿײַפֿט; געפֿײַפֿט) (7ב)	whistle
פֿלוים (–ען), די (3ד)	plum
פֿליג (–ן), די (4ד)	fly
פֿלעג (איך פֿלעג, דו פֿלעגסט, ער פֿלעג(ט)...) (3ה)	used to, *used for frequent action in the past, followed by an infinitive*
פֿלעקן (פֿלעקט; געפֿלעקט) (5ג)	stain
פֿעלן (פֿעלט; געפֿעלט) (3ז)	be missing
פֿעסל ← פֿאַס	
פֿערד (–), דאָס (8ו)	horse
פֿערשקע (–ס), די (3ד)	peach
פֿריִער (2ה)	before, earlier; at first
פֿרעגן זיך נאָך ← נאָכפֿרעגן זיך	
פֿרעמד (7א)	other people's

צ

braid	צאָפּ (צעפּ), דער (ה8) ←
braid *dim.*	צעפּל ♦ (–עך), דאָס (ה8)
each, apiece	צו (ד4)
	צו אַל די שוואַרצע יאָר ← יאָר
pour in, add liquid	צוגיסן (גיסט צו; צוגעגאָסן) (ד4)
	צוגעזאָגט ← צוזאָגן
hold firmly; hold back	צוהאַלטן (האַלט צו; צוגעהאַלטן) (ה1)
wait a bit	צוּוואַרטן (וואַרט צו; צוגעוואַרט) (א6)
promise	צוזאָגן (זאָגט צו; צוגעזאָגט) (ב6)
attach oneself (to); *i.e., here,* pester	צוטשעפּען זיך (צו) (טשעפּעט זיך צו; זיך צוגעטשעפּעט) (ג2)
admit, allow	צולאָזן (לאָזט צו; צוגעלאָזט) (ב4)
mostly	צום מײַנסטן (ג8)
nickname	צונאָמען (צונעמען), דער (ד2)
be useful	צו ניץ קומען (קומט צו ניץ; איז צו ניץ געקומען) (ג4)
tug, pang; pluck	צופּ, דער (ו8)
at the foot (of)	צופֿוסנס (ז8)
pleased, happy	צופֿרידן (ה1)
at the head of the bed	צוקאָפּנס (א8)
onion	ציבעלע, די (ג8)
goat	ציג (–ן), די (א6)
pull, draw	ציִען (ציט; געצויגן) (ו1)
pour into small containers	צעגיסן (צעגיסט; צעגאָסן) (ג5)
burst into tears	צעוויינען זיך (צעווייַנט זיך; זיך צעווייַנט) (ח3)

burst out laughing	צעלאַכן זיך (צעלאַכט זיך; זיך צעלאָכט) (8ג)
burst out sneezing	צעניסן זיך (צעניסט זיך; זיך צעניסט/צענאָסן) (7ה)
scatter *intrans.*, fall into particles	צעשיטן זיך (צעשיט זיך; זיך צעשאָטן/צעשיט) (7ה)
trouble	צרה (צרות) [צאָרע (-ס)], די (6א)

ק

(head) cold	קאַטער/קאַטאַר, דער (7ה)
tomcat	קאָטער, דער (2ד)
roll *intrans.*	קאַטשען זיך (קאַטשעט זיך; זיך געקאַטשעט) (8ז)
be in a rage; be excited	קאָכן זיך (קאָכט זיך; זיך געקאָכט) (4ה)
cripple	קאַליקע, דער/די (7ה)
give orders, command	קאָמאַנדעווען (קאָמאַנדעוועט; געקאָמאַנדעוועט) (1ג)
comical, funny	קאָמיש (1א)
capital (funds)	קאַפּיטאַל, דער (6א)
cherry	קאַרש (–ן), די (3ד)
kaddish, *prayer said by a mourner*	קדיש [קאַדעש], דער/דאָס (1ו)
cider	קוואַס, דער (4ב)
tag, label	קוויטל, דאָס (5ד)
delight (*Motl creates this noun from the verb* קוויקן זיך)	קוויק, דער (4ג)
less than a pint, a small amount of	קוואַרטעלע, דאָס (3ה)
challah, *twisted loaf of white bread eaten on the Sabbath*	קוילעטש (–ן), דער (4ד)
slaughter; (*hum.*) ruin	קוילען (קוילעט; געקוילעט) (6ב)

barely	קוים (1ו)
basket	קויש (–ן), דער (6ג)
voice	קול [קאָל], דאָס (3ג)
kissing (*many people at once and for a long time)*	קושערײַ, די/דאָס (8ז)
circular, round	קײַלעכיק (2ד)
none	קיינס (1ג)
no evil eye, *used in mentioning something positive to ward off the bad luck of the evil eye*	קיין עין־הרע [איינ(ה)אָרע] (1ה)
no one	קיינער (1ז)
chew	קײַען (קײַט; געקײַט) (2ד)
roll *intrans.*	קײַקלען זיך (קײַקלט זיך; זיך געקײַקלט) (8ז)
pillow, cushion	קישן (–ס), דער (8א)
rumo(u)r	קלאַנג, דער (7ב)
trifle	קלייניקייט, די (6ג)
it is no small thing!	אַ קלייניקייט! (6ג)
be coherent (*lit.* "stick" *intrans.*)	קלעפּן זיך (עס קלעפּט זיך; עס האָט זיך געקלעפּט) (8ד)
little (wood) block	קלעצל ◆, דאָס (← דער קלאָץ) (2ד)
crack	קנאַקן (קנאַקט; געקנאַקט) (6א)
against	קעגן (7ב)
little calf	קעלבל ◆, דאָס (← דאָס קאַלב) (1א)
cellar, basement	קעלער, דער (1א)
Motl means "Castle Garden," *America's first immigration station located at the southern tip of Manhattan Island*	קעסטל־גאַרטל (8א)
chop someone's head off	קעפּן (קעפּט; געקעפּט) (5א)

pip, seed	קערעלע ◆ (–ך), דאָס
	(← דער קערן) (ה3)
pocket	קעשענע, די (ו3)
butcher	קצבֿ (–ים) [קאַצעוו – קאַצאָווים],
	דער (ה1)
scratch oneself	קראַצן זיך (קראַצט זיך;
	זיך געקראַצט) (ב1)
relative	קרובֿ (–ים) [קאָרעוו – קרויווים],
	דער (ה8)
jug	קרוג, דער (ב4)
crooked	קרום (ו1)
quarrel	קריגן זיך (קריגט זיך;
	זיך געקריגט) (ב1)
climb	קריכן (קריכט; איז געקראָכן) (ה3)
cream of tartar	קרימעטאַרטערום, דער (ב4)
crystal, cut glass	קרישטאָל, דער (ד1)
groan, moan	קרעכץ, דער (א6)
groan, moan	קרעכצן (קרעכצט; געקרעכצט) (א6)
shopkeeper	קרעמער (–ס), דער (ד5)
question	קשיא (קשיות) [קאַשע (-ס)], די (א7)

ר

	ראָד (רעדער), די (ז8)
wheel	רעדל ◆, דאָס (← די ראָד) (ה4)
small group, gathering	ראַטעווען (ראַטעוועט;
rescue, save	געראַטעוועט) (ב1)
	רב [רעב] (ד1)
Mister, *traditional title prefixed to*	
Jewish man's first name	רגילות [רעגילעס], דאָס (ב3)
habit	

רובל (–), דער (א4)	ruble, *Russian money*
רויטלעך (א7)	reddish
רויך, דער (ג3)	smoke, fume
רוישן (רוישט; גערוישט) (ז1)	make noise, murmur
רופֿא [רויפֿע], דער (א3)	old style physician, one not formally trained as a doctor
רופֿאטע [רויפֿעטע], די (א3)	wife of the *royfe* (old style physician)
רוקן, דער (ב1)	spine (of book)
רחמנות [ראַכמאָנעס], דאָס (ב1)	pity, compassion
ריח [רייעד], דער (א1)	smell, scent
רייַסן זיך (רייַסט זיך; זיך געריסן) (ד3)	strain (at his leash)
רייַסן זיך אַרויס ← אַרויסרייַסן זיך	
רייצן זיך מיט (רייצט זיך; זיך גערייצט) (ה2)	tease
רינגלען אַרום ← אַרומרינגלען	
רינען (רינט; איז גערונען) (ד7)	run, ooze
רעדל, דאָס ← ראָד	
רעדן (רעדט; גערעדט)	speak, talk
רעדן פֿאַר אַ כּלה [קאַלע] (ה8)	propose someone as a bride
רעדער ← ראָד	
רעכענען (רעכנט; גערעכנט) (ב3)	reckon, calculate
רעכענען זיך מיט (רעכנט זיך; זיך גערעכנט) (ג6)	reckon with; get back at
רעצעפּט (–ן), דער (ב3; ב4)	prescription; recipe
רפֿואה (רפֿואות) [רעפֿוע (-ס)], די (א1)	drug, remedy, medicine
רשעטע [ראָשעטע], די (ג3)	bad woman

ש

hush! quiet!; watch out!	שאַ(ט)! (ב24)
fruit peel	שאָלעכץ, די/דאָס (ב24)
cupboard	שאַפֿע, די (ב21)
reel, rock *intrans.*	שאָקלען זיך (שאָקלט זיך; זיך געשאָקלט) (ז18)
Shavuot, Pentecost, *holiday celebrating the giving of the Torah to the Jews and the gathering of the first fruits*	שבֿועות [שווּעס], דער (ה1)
devil, demon	שד (־ים) [שעד – שײדים], דער (ג25)
Shekhianu, *name of a blessing said when a holiday comes or when one tastes a new fruit or when something good occurs (lit. "He who has kept us in life")*	שהחיינו [שעכעיאָנו], דער (ה3)
devil (*lit.* "black year")	שוואַרץ־יאָר, דער (ד7)
shoe polish	שוואַקס, דער (ב24)
mother-in-law	שוויגער, די (ז18)
be silent	שווײַגן (שווײַגט; געשוויגן) (א7)
cousin	שוועסטערקינד (־ער), דאָס (ז17)
father-in-law	שווער, דער (ז18)
swear	שווערן (שווערט; געשווירן) (ה3)
Jewish ritual slaughterer	שוחט [שויכעט], דער (ה3)
wife of ritual slaughterer	שוחטקע [שויכעטקע], די (ז13)
some (book); quite a (book) (*lit.* "already one time a book")	שוין איין מאָל אַ (בוך) (א4)
guilty	שולדיק

שטאָט, די (ג7)	city
אַ שטאָט! (ו1)	Some city! What kind of a city is this?!
שטאַמלען (שטאַמלט; געשטאַמלט) (ד8)	stammer, stutter
שטאַרבן (שטאַרבט; איז געשטאָרבן) (א8)	die
שטיוול (–), דער (ג3)	boot
שטיין, דער (ב4)	stone
שטיין געשריבן (שטייט געשריבן; איז געשטאַנען געשריבן) (ב4)	stand/be written
שטילערהייט (ב5)	quietly
שטים, די (ז1)	voice
שטיקלעכווײַז (ו3)	piece by piece
שטעכלקע (–ס), די (ג3)	prickle; barb
שטעלכל ♦, דאָס (← די/דער שטאַל) (א1)	little stall, shed
שטעלן (שטעלט; געשטעלט)	put, place; set/position verticaly
שטעלן צום טיש (שטעלט; געשטעלט צום טיש) (ה8)	put on the table
שטעלן אַוועק ← אַוועקשטעלן	
שטעלן אונטער ← אונטערשטעלן	
שטעלן אײַן ← אײַנשטעלן	
שטעלן אָפּ ← אָפּשטעלן	
שטעלן פֿאַר ← פֿאַרשטעלן	
שטעלע, די (א4)	job
שטערן, דער (ד2)	forehead
שטראַל (–ן), דער (א1)	ray
שטריקל, דאָס (ג4)	string

שטשאָר (שטשערעס) /	rat
שטשור (–עס), דער (7ב)	
שיטן אויס ← אויסשיטן	
שיטן אָן ← אָנשיטן	
שייגעץ, דער (2ג)	non-Jewish boy; smart aleck; naughty boy
שימל, דער (1ו)	mo(u)ld
שיִער נישט (2ב)	almost
שיר־השירים [שיר־(ה)אַשירים] (1א)	Song of Songs, *a book of the Bible, attributed to King Solomon, read at Passover*
שכן (–ים) [שאָכן – שכיינים], דער (1א; 6ב)	neighbo(u)r
שכנה (שכנות) [שכיינע (-ס)], די (1ג; 7ו)	female neighbo(u)r
שליטן, דער (8ג)	sled, sleigh
שלימזל [שלימאַזל], דאָס (6ב)	bad luck, misfortune
שלינגען (שלינגט; געשלונגען) (2ד)	swallow
שלעפּער, דער (7ד)	tramp, vagabond, bum
שמאַלץ, די/דאָס (2ד)	animal fat (as food)
שמייכלען (שמייכלט; געשמייכלט) (8ה)	smile
שמײַסן אָפּ ← אָפּשמײַסן	
שמש [שאַמעס], דער (2ב)	sexton in a synagogue
שנײַד, דער (1א)	blow, hit (*lit.* "cut")
שנײַדער, דער (8ג)	tailor
שעה [שאָ], די (7ו)	hour
שעמען זיך (שעמט זיך; זיך געשעמט) (1ו)	be ashamed
איך זאָל מיך נישט שעמען (1ו)	if I were not ashamed

שעמערי׳צי/שעמערי׳צע, די (7א)	hellebore, a poisonous plant
שפּאַלטן זיך (שפּאַלט זיך;	split, crack *intrans.*
זיך געשפּאָלטן) (ה1)	
שפּייַען אויס ← אויסשפּייַען	
שפּיץ, דער/די (ז8)	tip, point
שפּי׳ציק (ד2)	pointed
שפּיץ פֿי׳נגער (–), דער (ו7)	tiptoe
שפּע׳טער (ה2)	later
שפּרוך, דער (ג7)	incantation, magic formula
שרייַבער, דער (א5)	writer, *here,* writing teacher
שרעק, דער/די (ב7)	fear, terror
אַ שרעק! (ב7)	It's frightening!
שרע׳קט אייַך נישט (ג3)	don't be afraid, don't get a fright
שרע׳קלעך (א8)	terribly

שׂ

שׂכל [סײכל], דער (ד8)	reason, sense
שׂרפֿה [סרײפֿע], די (ג3)	fire, blaze

תּ

תּישעה־באָבֿ [טי׳שעבאָוו], דער (ז8)	the Ninth of Av, *a Jewish day of fasting and mourning in commemoration of the destruction of the Temple in Jerusalem, hence,* a desolate mood
תּכשיט [טאַ׳כשעט], דער (ח3)	brat
תּמיד [טאָ׳מעד] (א7)	always